W9-DIZ-172

FAT & FURIOUS BURGER

**L'HISTOIRE DU BURGER COMMENCE EN 10000 AVANT J.-C., LORSQUE LES PREMIERS HOMINIDÉS ONT EU L'IDÉE DE MANGER LE CŒUR DE LEURS ENNEMIS ENTRE DEUX TRANCHES DE SILEX. AUJOURD'HUI, L'HORIZON DU BURGER S'EST ÉTENDU. CE N'EST PLUS UN SIMPLE STEAK ASPERGÉ DE KETCHUP, ENDUIT DE FROMAGE COULANT ET COINCÉ ENTRE DEUX PAINS.
C'EST EN REPOUSSANT LES LIMITES DE L'IMAGINATION JUSQU'AUX PORTES DES BUNS QUE LES POSSIBILITÉS DEVIENNENT INFINIES. DE LA TOMATE AU POTIRON, DU POIVRE À LA POUDRE D'OR, DE L'ŒUF DE POULE À L'ŒUF DE SAUMON, TOUT EST BON POURVU QUE ÇA TIENNE ENTRE DEUX BUNS.
NÉ DE LA RENCONTRE DE DEUX ESTOMACS VIDES, FAT & FURIOUS ÉLARGIT LE CHAMP DES BURGERS POSSIBLES. AU COMMENCEMENT, THOMAS ET QUENTIN (DESIGNERS GRAPHIQUES DANS UN STUDIO PARISIEN) PASSENT LEUR PAUSE DÉJEUNER À INGURGITER LES SANDWICHS INSIPIDES DES BOULANGERIES DU QUARTIER. MAIS TRÈS RAPIDEMENT, DANS LEUR PETITE CUISINE, L'APPÉTIT DES PREMIERS HOMMES RENAÎT AU CREUX DES VENTRES AFFAMÉS DES DEUX CRÉATEURS. ILS COMMENCENT ALORS À EXPÉRIMENTER DES BURGERS : LEURS ESTOMACS DICTENT LES RECETTES ET LEURS YEUX DÉVORENT**

CES ÉTONNANTES COMPOSITIONS VERTICALES DE COUCHES SUCCESSIVEMENT CROQUANTES, JUTEUSES OU DÉGOULINANTES. LA PASSION ET L'OBSESSION, NÉE DE LEUR FRUSTRATION, ENGENDRENT DE SEMAINE EN SEMAINE DES CRÉATIONS TOUJOURS PLUS AFFOLANTES. LEUR RITUEL EST SIMPLE : 1 H 30 POUR TROUVER UNE IDÉE, FAIRE LES COURSES, CUISINER ET DIGÉRER.
PUIS, D'UNE ENVIE DE BURGERS PUREMENT ÉGOÏSTE VIENT L'ENVIE DE FAIRE SALIVER LES AUTRES, ET L'ASPECT VISUEL DES CRÉATIONS DEVIENT VITE UNE DES PRÉOCCUPATIONS CENTRALES DU PROJET.
EN 2012, LE SITE FATANDFURIOUSBURGER.COM EST LANCÉ, AVEC COMME SEULE PROMESSE DE PROPOSER CHAQUE VENDREDI UN NOUVEAU BURGER INSPIRÉ DES FAITS D'ACTUALITÉ OU DES ARRIVAGES DE LA SUPÉRETTE DU COIN.
AUJOURD'HUI FAT & FURIOUS BURGER COLLABORE AVEC DES MAGAZINES, DES RESTAURANTS ET DES FESTIVALS. VOICI DONC 60 RECETTES AUSSI LARGES QUE FURIEUSES, SPECTACULAIRES ET SAVOUREUSES, QUI VOUS EMBARQUERONT LÀ OÙ AUCUN BURGER N'EST ENCORE JAMAIS ALLÉ.

ENLARGE YOUR BURGER

Julien Pham
Fricote Magazine

Ma quête du chaud-bouillant pour mes pages glacées m'a fait scroller et scroller ce parchemin dont on m'avait tant parlé. Un blog furieux, issu d'un jeu de mots foireux qui le rictus esquisse, il n'en fallait pas plus… De bouche à oreille, notre rencontre coule de source et tombe à pic. La collaboration est une évidence chorégraphiée au grain de sésame près. Net et précis, jusqu'au toastage minuté. Ces mecs-là iront jusqu'au bout, ces mecs-là sont fous.

Cap' ou pas cap', les torses siglés du « F » foncent tel un *Go Fat* direction Cesam City. C'est le chaos ici-bas, et les Fat & Furious sont attendus comme un canot de sauvetage dans *Les Dents de la mer*. Sur place, les habitants de Cesam sont à la merci de lord Ronan McDorman. La ville est enchaînée à son faste, et son désir fou d'expansion. Les mains grasses des « junkies » sont venues dépouiller les frigos de ses produits frais. Les buns sont à sec et à court de sauce, les laitues fanent et le cheddar ne fond plus. Dans le secret des kitchenettes, l'indépendance s'organise, la rébellion du bon et du fait-maison prend le visage d'un duo masqué. Lui c'est Fat, et l'autre c'est Furious. Ces hambourgeois, gentilshommes aux buns d'ange et aux poings serrés, sont venus rendre à Cesam ce qui appartenait à Cesam…

S'inspirant des grands titres des journaux comme de la génération pop et logos, le duo de designers français de Fat & Furious s'est attaqué au banal et au manger-mal en donnant des moyens à leurs faims. À chaque pause déj', le compte à rebours retentit pour penser, acheter, cuisiner et digérer dans l'heure et demie impartie. Le défi est relevé « *easy* » tous les midis et le burger-minute est à chaque fois plus joli. Leurs recettes et créations suscitant plus de clicks d'amour qu'un chat qui baille ou un bébé royal, Fat & Furious enfile la ceinture des lourds légers et propose désormais son craft en couverture des magazines et dans les vitrines des grands magasins. Cette fois c'est certain, au royaume du gros colérique, la génération Bun & Joli semble s'être installée en CDI.

← **Cover Burger**
visuel réalisé pour Fricote #12

SOMMAIRE

LET THE BUN SHINE

Le bun (petit pain rond), c'est l'élément fondamental d'un bon burger. Il est garant de la stabilité de ce plat à travers les âges, les sociétés et les traditions Que vous soyez conservateur ou libéral, faites votre choix entre ces recettes, de la plus académique à la plus expérimentale. Citoyens du monde, levez-vous comme on lève la pâte du pain et battez-vous pour un pain honnête, un pain libre et décomplexé, un pain au service du goût !

Tu es capitaliste, tu as une machine à pain.

Verses-y les ingrédients liquides puis les poudres, et finis par la levure. Choisis un programme sans cuisson afin de pétrir la pâte. Une fois que la pâte à pain est bien homogène, découpe deux boules de pâte de 80 g environ. Dore-les au pinceau avec un peu de jaune d'œuf battu. Saupoudre de sésame. Laisse reposer 1 heure à température ambiante. Fais cuire 10 minutes dans un four préchauffé à 180 °C (thermostat 6).

Tu es nihiliste, tu n'as pas de machine.

Délaye la levure dans le lait tiède. Mélange la farine, le sel, le sucre. Ajoute le lait, puis un demi-jaune d'œuf et le beurre. Pétris 8 à 10 minutes (au robot ou à la main comme tes ancêtres). Découpe deux boules de pâte de 80 g environ. Dore-les au pinceau avec le reste du jaune d'œuf battu. Saupoudre de sésame. Laisse reposer 1 heure à température ambiante. Fais cuire 10 minutes dans un four préchauffé à 180 °C (thermostat 6).

Tu es anarchiste, fais varier les graines !

Troque les sempiternelles graines de sésame contre du pavot, des pignons de pin, des graines de courge, de tournesol, de lin… Le ciel est ta limite !

Tu n'es pas raciste, fais varier les couleurs !

Il te suffit d'ajouter quelques traits de colorant alimentaire dans la pâte. Si tu es un militant engagé et que tu aimes ta planète, voici des solutions plus naturelles pour colorer tes pains. **En jaune** : ajoute 1 cuillère à café de curcuma à la farine. **En brun** : ajoute 2 cuillères à café de cacao en poudre non sucré à la farine. **En rouge** : mélange 1 cuillère à soupe de concentré de tomates à la pâte crue de la recette classique. **En noir** : mélange une demi-cuillère à café d'encre de seiche à la pâte crue de la recette classique. **En vert** : fais cuire des épinards dans le lait que tu vas utiliser pour la recette classique. **En rose** : remplace la moitié du lait par du jus de betterave dans la recette classique.

Pour 2 buns au sésame • 90 g de farine • 1 jaune d'œuf • 50 cl de lait • 1 tiers de sachet de levure de boulanger • 2 g de sel • 2 g de sucre • 5 g de beurre mou • Quelques graines de sésame

LE PATTY VIENT EN MANGEANT

Le patty (association d'ingrédients hachés pour former un steak) est au burgy ce que la tache est à la vache : FON-DA-MEN-TAL, sinon tout est bancal. Trêve de poésie. Bien choisir son produit et ne pas mettre la charrue avant les bœufs sont les clés du succès. Après, tous les patties sont permis.

Notre-Dame de Patty (Victor Hugros), ou l'art de bien connaître ses classiques

l est venu le temps de sonner les cloches à toutes es vaches maigres qui s'approvisionnent au Super crU. Fainéants ! Bon. Ok… Que celui qui n'a jamais péché – ses courses au supermarché – leur jette e premier pavé (de bœuf).

Si tu y tiens, pousse la porte automatique de la grande surface et dirige-toi à travers les rayons usqu'aux steaks. Une fois arrivé à destination, chausse tes loupes pour un peu de lecture. Prends e temps de chercher l'info (lâche l'affaire au bout de 5 minutes, si tu n'as pas trouvé, c'est que ce steak a des choses à cacher) : ce qu'il te faut, c'est 100 à 150 grammes de viande pur bœuf et non hachée par steak, en choisissant des morceaux un peu gras (la macreuse, le gîte, le jumeau, a tranche ou encore le flanchet), c'est meilleur.

De retour à la maison, ça va hacher. Si tu n'as pas de hachoir, demandes-en un au père Noël (pour le joindre : 36 65 65 65) et, en attendant que ta facture de téléphone arrive, empare-toi d'un couteau. Coupe la viande en morceaux et tasse le tout à la main. À ce moment précis, tu devrais te sentir sauvagement libre. Tout est possible ! Ose agrémenter a préparation de piment d'Espelette, de sauce soja, de paprika ou même d'ail émincé ! Mais n'oublie pas e sel dans ton élan de folie. Forme de belles boules, comme tu as appris à le faire en vacances pendant on enfance (sable ou neige, finalement, la boulette, on a ça dans le sang). Aplatis-les, ajoute un coup de poivre et les vaches seront bien gardées.

La Petite Bidoche dans la prairie, ou comment faire varier les plaisirs

Mais au juste, qui a dit que le bœuf était le roi du burger ? Non à la dictature des protéines ! Tous les animaux sont égaux (même si certains le sont plus que d'autres). Dans notre basse-cour, il y a des poules, des dindons, des oies, il y a même des canards ; alors pourquoi pas dans nos burgers ? Petits poulets panés, gros porcs caramélisés, sangliers rôtis… Les patties sont ouverts !

Les Viandes de la mer, pour carrément prendre le large

Comme un requin rôdant au large de Miami Beach, une envie de poiscaille rôde dans ta tête mais tu n'oses pas te l'avouer. Il s'agit là d'un vieux réflexe post-traumatique : qui oserait dire : « Oui j'aime le filet-o-fish ! » ? C'est du passé, sortons ça de nos têtes, l'heure est à la *slow food.* On est dans ta cuisine et on parle de poisson, de vrai poisson. Celui qui un jour a vu la mer de ses propres billes. Filet de sole doré-mi-fa, yeux de merlan frits, panier de crabes, crevettes-où-tout est-bon-sauf-la-tête… Mariné au citron, pêché mignon… Allez, à la flotte !

MANIFESTE POUR UN FROMAGE

Par Émile Gorgon-Zola,
auteur notamment
d'*Au bonheur d'édam*

J'accuse. J'accuse les toastinettes pour enfants édentés de dévaloriser l'appellation même de Cheddar. J'accuse les tranchettes de fromage en plastique d'usurper honteusement les noms de producteurs illustres. Le général de Gaulle n'a-t-il pas dit lui-même un jour : «*Comment voulez-vous gouverner un pays où il existe plus de 300 sortes de fromage ?*» Le peuple veut du fromage, du vrai, du bon. Les instances dirigeantes ne l'ont que trop longtemps spolié de ce droit inaliénable à voir dégouliner une cancoillotte, ou à râper vigoureusement un parmesan. Déclarons la guerre fromagère ! Nous réclamons de la variété pour nos burgers. Et, pauvres fous que nous sommes, nous pensons sincèrement que chaque fromage a sa place dans un burger.

Rien ne remplacera jamais l'érotico-mystique association d'un bon gros frometon et d'un steak, qu'il soit frais, fondu, en copeaux, en tranches. L'un cuisant sur l'autre dans la chaleur de la poêle, comme deux amants terribles et magnifiques mélangeant amoureusement leurs saveurs, entrelacés dans un orgasme éternel.

Messieurs les puissants, ceci n'est pas une menace. C'est un programme.

RACONTE-MOI PAS D'SALADES

Au premier flétrissement, tu m'abandonneras. Si un sombre asticot venait à me prendre, tu ne te battrais pas pour moi. J'en ai assez d'écouter tes salades. Assez d'être là pour te donner bonne conscience et compenser tes gavages intempestifs.

Au nom de toutes les croquantes qui ont un jour été bafouées, l'heure de la révolte a sonné ! Scarole, frisée, sucrine, romaine, jeunes pousses..., nous méritons toutes d'être appréciées à notre juste valeur ! Nous suffoquons d'être conditionnées, tenues à l'écart, impuissantes face à l'opulence de ton estomac.

Fine, amère, douce, discrète ou imposante, chacune d'entre nous est unique. Nous savons nous marier et combler nos moitiés comme personne d'autre. Une simple garniture ? Ne te méprends pas ! Nous ne sommes pas que des laitues. Nous aussi, nous sommes prêtes à nous battre à coups de lance-roquette et de mâchette ! Et sans même que tu t'en rendes compte nous allons te rendre accro à nos têtes frisées...

Assez d'être traitées de légumes ! Unissons nos forces aux choux, aux endives, aux concombres, au basilic, au fenouil et autres fraîcheurs ! Eux aussi méritent une place dans ton burcœur de glace.

POUR UNE RÉFORME SAUCIALE

Camarades, les sauces en tube sont le fléau de notre temps, une dégénérescence de l'impérialisme triomphant ! Toutes les sauces ne demeurent pas libres et égales en goût !

Bien sûr il serait facile de graisser la patte du capital en allant acheter tout faits dans les rayons ces artifices de bonheur. Non, je vous le dis, camarades, il n'y a qu'une seule voie, et c'est celle de la préparation perso ! Souvenez-vous des mots de Martin Burger King lancés à la foule en délire venue défendre la mixité des sauces : « *I had a cream !* » Car c'est par l'improvisation, le goût et l'ajout d'ingrédients inattendus que l'on transforme un simple burger en poème gastrique.

J'en vois déjà parmi vous qui hésitent face à l'ampleur de la tâche. Mais ne craignez point, mes braves, gagnons notre liberté d'expression saucière ! Juste un peu de vinaigrette, de jus de viande, ou même de crème de tous les horizons suffit à révolutionner les diktats hambourgeoisés !

À présent, camarade, prends ton cabas et débusque l'ingrédient du burger nouveau. Fouine, rampe, renifle, va là où la sauce du burger n'a jamais dégouliné. Somnole en forêt avec le miel. Réveille-toi en Toscane avec le vinaigre balsamique. Laisse-toi bercer le long du Mekong avec le soja. Et brûle des palais avec le wasabi !

GUIDE DE HAUTE MONTAGE

Qui n'a jamais rêvé de monter les plus hauts burgers ? Les exploits qui laissent la marque du goût à jamais gravée dans les ventres sont faits d'audace ! Mais attention aux risques d'avalanches de tomates instables, d'affaissement de salade et de fissures de pain craquant.

Les amateurs devront s'accompagner d'un guide et partir en longues cordées tel le cheddar fondu. Mais les vrais connaisseurs, furieux du hors-piste, découvrent loin des règles les merveilles d'un burger encore jamais foulé. Quelques conseils avisés pour gravir sans chuter : les tomates et la verdure réunies au socle apportent des bases saines pour une ascension stable. Aussi, rien ne vous empêche d'ajouter un bun au milieu de votre burger, comme une étape au milieu de la bouchée ! Enfin, coupez le cordon du montage traditionnel : le sésame ne doit pas forcément récompenser les vainqueurs au sommet.

Qui croit encore à la légende d'un burger monté qui ne s'écroule point ? Les grimpeurs les plus téméraires planteront au sommet une longue pique, garante de la stabilité du burger.

Un bun dessous, un bun dessus. Entre les deux, point de salut dans la demi-mesure. Dans la nature, tous les burgers sont uniques. Le montage ne connaît de limites que celles du plafond de la cuisine. Les œufs, le bacon, la verdure, les sauces, tous doivent marcher main dans la main pour de gras lendemains ! C'est en empilant que l'on devient empileur.

CRABZILLA BURGER

Au fond des océans, la folie des hommes a créé un fléau. Ils étaient prévenus, mais la surpêche et les essais nucléaires ont donné naissance à l'horreur, et maintenant ils vont payer… Le sort des estomacs est scellé !

Les araignées de mer, dépiautées par les expérimentations nucléaires, ont perdu toute leur chair. Les mangues des îles voisines ont été découpées par les souffles de l'atome. Mais la vie reprend ses droits.

On retrouve sur les plages des crevettes décortiquées. Les scientifiques dépêchés sur les lieux les laissent mariner dans un mélange mystérieux composé d'huile d'olive, de jus de citron et de branches de fenouil émincées. Le sel et le poivre viennent compléter les derniers résultats de ces analyses. Maintenant, ce sont des tomates que les autochtones retrouvent lavées et découpées en rondelles… Quel sauvage sanguinaire s'en prendrait à d'innocentes tomates ?

Las, le monstre sort des eaux turquoise, laissant la foule paralysée de terreur devant ce spectacle apocalyptique. Son bun surplombe les plus hauts paquebots. Sur la salade verte des profondeurs se dressent les quartiers de mangue. Au-dessus se répand la chair d'araignée recouverte d'un tsunami de mayonnaise sur lequel baignent encore les tomates suintantes. Là-haut culminent les crevettes déchaînées. Des œufs de lump malveillants viennent parfaire l'horreur. Dégoulinant de marinade, Crabzilla s'avance pour répandre le chaos dans les estomacs.

Pour 2 burgers • 2 buns au sésame noir • 300 g de chair d'araignée de mer (ou de crabe) • 50 g de crevettes roses • Quelques traits d'huile d'olive • 1 citron • 20 g d'œufs de lump • 2 traits de mayonnaise • 2 tomates • 4 feuilles de laitue • 1 demi-mangue • 2 branches de fenouil • Sel et poivre

PIÑA BURGER

Sous les palmiers, la plage ! Un burger *caliente* à te faire grimper aux cocotiers.

Prépare les achards de légumes sans t'acharner. Dénude et coupe ta carotte. Hache les haricots et le chou sans te prendre la tête. Pile – ou face – l'ail et le gingembre. Émince l'oignon. Fais-le suer dans l'huile, ajoute l'ail, le gingembre et le curcuma, puis les légumes, et laisse bronzer 10 minutes à feu moyen. Invite le vinaigre, le sucre et le Tabasco à faire monter la température. Garde la préparation à l'ombre, même s'il fait 30 °C.

Déshabille l'ananas et coupes-en la moitié en fines tranches puis découpe le reste en petits quartiers, sans en faire. Mets de l'huile – sans palme – dans une grande poêle et lance les tranches de porc pendant 7 minutes sur chaque face et sans traces de maillot. Sors-les de la poêle, à poil, sale-les, poivre-les. Puis fais revenir les quartiers d'ananas. Chauffe-les doucement, ambiance-les avec un morceau de ukulélé. Enrobe (ou en paréo) l'ananas de miel et laisse caraméliser quelques minutes. Remets les tranches de porc à chauffer dans la poêle. Attention aux coups de soleil. Ajoute l'écran total de cheddar et couvre 1 minute pour qu'il fonde sous le cagnard.

Passe au montage. Sur les achards de légumes dépose les tranches d'ananas frais, surplombées au zénith par les tranches de porc bronzées et le cheddar suant, puis les quartiers d'ananas rôtis. Enfin, tartine le dos du bun de sauce cocktail. Les doigts de pieds en éventail, sous le sunset d'Hawaii, n'oublie pas de panser ton estomac de Biafine.

Pour 2 burgers • 2 buns au sésame • 2 tranches épaisses de filet mignon de porc • 1 demi-ananas Victoria • 2 tranches de cheddar • 1 demi-carotte • 40 g de haricots verts • 40 g de chou blanc • 1 quart d'oignon rouge • 5 g de racine de gingembre • 1 cuillère à café de curcuma • 2 cuillères à café de vinaigre de vin • Quelques gouttes de Tabasco • 1 gousse d'ail • 1 cuillère à café de sucre • 1 cuillère à soupe de miel • 2 cuillères à soupe de sauce cocktail (mayo + ketchup) • Huile • Sel et poivre

MERRY CHEESEMAS

Tu as acheté des tasses Pantone à ta sœur, une Smartbox sensation forte à ton frère, des orangettes pour mamie et ce qui restait du rayonnage « jouets » de chez Gifi pour les enfants. Et pour décorer le tout, c'est toi qui te colles à la tambouille !

Prends la petite hache du nain qui ronfle sur la bûche glacée et coupe l'oignon en petits dés. Fais-les revenir dans une poêle beurrée à feu moyen jusqu'à ce qu'ils soient dorés. Ajoute un trait d'eau, le sucre et remue jusqu'à la fonte des neiges. Réserve.

Découpe en rubans les champignons que tu as fait pousser pendant 1 an dans ta chaussette de Noël. Puis fais-les revenir avec 1 pincée de sel dans une poêle huilée. Enfin, ajoute l'ail haché très fin. Fais sauter le tout quelques minutes sur les genoux de papa Noël et réserve.

Découpe finement la truffe noire d'un renne puis mélange les éclats à la viande hachée. Et hop, ça forme deux patties. C'est la magie de Noël ! Sale, poivre et fais cuire les deux belles boules dans une poêle avec un flocon de beurre 2 minutes sur chaque face. Ajoute le mont-d'or sur les steaks chauds pour le faire fondre 1 minute à la poêle bien hotte.

Monte ton burger pour remplir ton foie bien gras : crème de truffe, oignons caramélisés, steaks, mont-d'or et poêlée de champis. *Merry Cheesemas* !

Recette du *Burger de Noël* du Publicis Drugstore

Pour 2 burgers • 2 buns en forme de bûche snackés au beurre • 2 patties de steak haché de 150 g • 1 demi-oignon rouge • Quelques éclats de truffe noire • 2 cuillères à soupe bombées de mont-d'or cuit au four • 2 cuillères à café de sucre • 4 cèpes • 1 poignée de trompettes-de-la-mort • 1 gousse d'ail • 90 g de crème de *Tartufata bianca* • Beurre • Huile • Sel et poivre

CANICULE BURGER

Un burger au cheddar à ne pas abandonner sans clim' tout l'été.

Pour 2 cônes • 2 patties de steak haché de 150 g • 2 hauts de buns • Quelques rondelles de cornichaud • 2 feuilles de salade pas trop cuite • 1 poignée d'oignons frits • 4 tranches de cheddar coulant (type extra-matured) • 2 gros traits de moutarde pas trop au soleil • 2 gros traits de sauce ketchot' • 2 cornets pâtissiers

COCKTAIL BURGER

Sea, Sex & Bun.

Pour 2 verres • 2 hauts de buns • 2 cuillères à soupe d'œufs de saumon • 4 cuillères à soupe de guacamole • 2 cuillères à café de cacahuètes concassées • Quelques crevettes décortiquées • 2 traits de sauce cocktail (mayo + ketchup) • 2 verres à cocktail

EXCALI BURGER

Dans ta quête de l'Excaliburger aux filets de Merlu (l'enchanteur), il te faudra un ventre vide, une pause déjeuner, la foi, une table ronde et un foie solide. On se régalaad !

Lave les enchanterelles dans l'eau claire du lac. Pourfends l'oignon en dés, émince l'ail, cisèle le Persilval et écrase les baies de Guenièvre en poudre. Brandis une poêle huilée à feu moyen. Lance l'oignon puis ajoute les chanterelles entières avec un peu d'ail et de Persilval.

Réserve la moitié de cette poêlée et fait endurer à l'autre moitié le supplice du mixeur. Ajoute à ce châtiment la brousseliande et la moutarthur. Mixe jusqu'à obtention d'une sauce homogène. N'écoutant que ton courage, goûte la sauce encore fumante. Ajoute la poudre de Guenièvre. Équilibre.

Prépare tes filets de Merlu l'enchanteur : d'un coup d'épée tranchante, enlève les arêtes. Dégaine une poêle. Fait rôtir les filets à cœur. Sale et poivre.

Fends le saint-bun et badigeonne les pains avec le jaune d'œuf. Saupoudre-les de graines de pavot et fait dorer le tout au four.

Monte les burgers : persil, filet de merlu, sauce, poêlée de chanterelles. Il ne te reste plus qu'à plonger dans les saint-burgers tes épées légendaires. Celui qui parviendra à ôter l'épée du burger sera l'Élu !

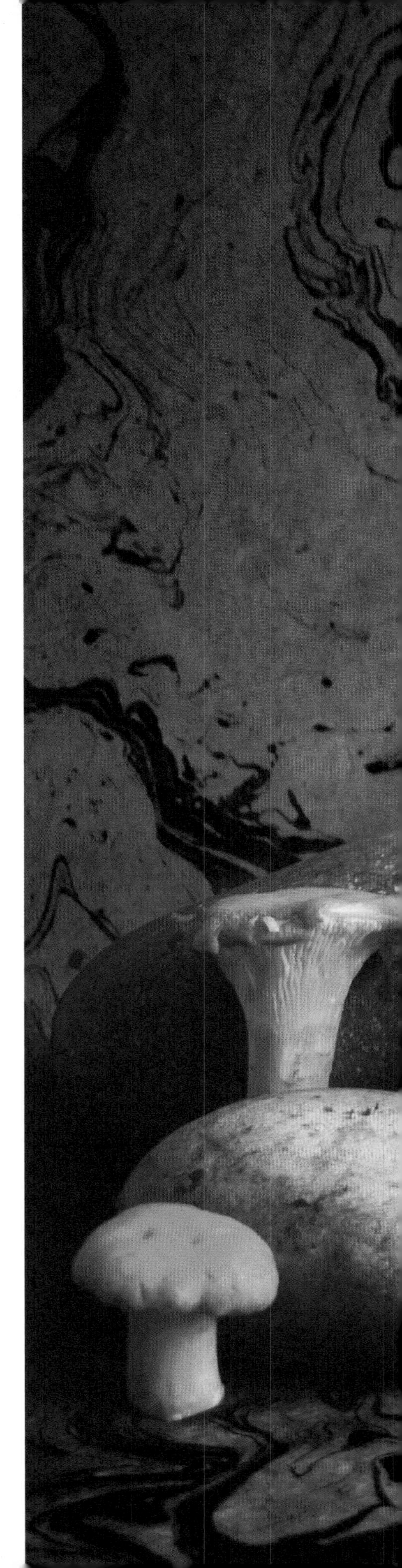

Pour 2 burgers • 2 buns • 2 filets de merlu de 150 g • 20 cl de brousse • 500 g de chanterelles • 1 jaune d'œuf • 1 bouquet de persil plat • 1 oignon • 1 gousse d'ail • 1 cuillère à soupe de moutarde • 3 baies de genièvre • 80 g de graines de pavot • Huile • Sel et poivre • 2 épées brillantes en or 18 carats (ou en plastique, ça ira…)

fat and furious

FATTER BUTTER GREASER BURGER

We're up all night for good bun.
We're up all night to get fatty.

Les crevettes ont réservé un bol VIP. Arrose-les du jus de l'orange et de 1 demi-citron. Pour finir leur *make-up* avant de sortir, ajoute l'huile, du sel et du poivre. Laisse-les mariner, on reviendra les chercher plus tard. *Longer, better.*

Le haddock patiente dans le *backstage* avant d'aller sur scène. Trempe-le dans une sauteuse mi-eau-mi-lait. Il s'échauffe tranquille 15 minutes, mais jamais jusqu'à bouillir. C'est un *Haddock After All*... Sors-le et enlève-lui la peau et les arêtes.

Pour faire cracher la sauce dans les baffles, fais chauffer le jus de l'autre demi-citron dans une poêle jusqu'à évaporation. Balance la crème fraîche telle une groupie dans la fosse jusqu'à ce qu'elle brunisse. Sors du feu et jette le beurre. Patiente le temps qu'il fonde. Mélange et réserve. Quant à la menthe, lave-la et taille-lui les pointes. *Aerodynamint!*

Et maintenant tous *Around The Bun*! Soupoudre l'or sur un pain et l'argent sur l'autre. Monte chaque burger: appelle la *Robot Roquette* et le haddock. *One More Lime*, verse la sauce. Ensuite le *Tech-nori*. Maintenant, c'est le *Prawn Time Of Your Life*: envoie les crevettes et la menthe!

Pour 2 burgers • 2 buns au sésame • 2 filets de haddock • 100 g de roquette • Quelques feuilles de menthe • 100 g de crevettes décortiquées • 1 orange • 1 citron • 2 cuillères à soupe d'huile d'olive • 25 cl de lait • 1 cuillère à soupe de crème fraîche • 1 noix de beurre • Un peu de poudre alimentaire or et argent • 1 feuille de nori (algue japonaise) • Sel et poivre

BURGRILL

Tu es tendu comme une tente de camping ? Ta caravane a crevé sur le parking ? Viens là, je sais de quoi tu as besoin. Rien de tel qu'un bon vieux barbeuc' entre copains.

Un coup d'anisette, on fait monter l'ambiance et on chauffe la braise ! J'te raconte pas la fois où Gégé a pété l'barbeuc' ! L'équivalent de mon poids en merguez sur les bras : le drame ! Momone a fait ça à la poêle avec des bougies chauffe-plat. Haha, qu'est-ce qu'on s'est marrés ! Que ce soit au barbeuc', à la plancha ou à la poêle, c'est toujours la fête à la saucisse !

On fait griller les morceaux de poivron. Rouges les poivrons, parce que les verts ça nous rappelle la tête des Parisiens ! Et puis, on met du suc' dessus pour que ça colle bien aux dents.

Vl'à l'Michou, l'roi d'la boulette ! Il nous en fait quinze à la minute, on pourrait jouer à la pétanque avec. Il mélange la viande hachée, le piment (olé), les herbes du camping, du sel et du poivre. Puis v'là-t-y pas qu'il découpe la barbaque de rumsteck en gros cubes, pis qu'il pique les merguez à la fourchette ! Là, on peut envoyer toute la bidoche sur le gril. Ce soir on va tous au dancing, pas b'soin d'mettre du parfum, t'es bon pour la semaine. Graillou N° 5 de Chanel.

C'est Monique qu'a eu l'idée des mini-burgers. Pourtant elle fait pas dans l'mini ! Tu verrais l'parachute qu'elle porte sous son short ! Sur une grosse pique à saucisse, on met le socle du bun, un bout d'poivron, un bout d'rumsteck, on arrose avec la moutarde puis on r'ferme avec l'chapeau du bun. Rebelote avec un bout d'poivron, un bon vieux morbier qui sent les pieds d'Paulo, une boulette et encore du poivron. Et un troisième pour la route : poivron, morbier, merguez avec la sauce barbeuc'. Et pour la déco, on fait dans la finesse : on empale un jalapeños ! Encore un coup d'anisette pour huiler l'gosier et on fait tourner les brochettes !

Pour 2 brochettes • 6 mini-buns (40 g de pâte à buns chacun) • 1 pavé de rumsteck (100 g) • 150 g de viande hachée • 2 mini-merguez • 1 demi-poivron rouge • 2 cuillères à soupe de sucre en poudre • 2 piments jalapeños • 4 tranches de morbier • 1 trait de sauce barbecue • 1 trait de moutarde • 1 pincée de poudre de piment pili-pili • 1 grosse pincée d'herbes de Provence • Sel et poivre • 2 grosses piques à brochettes

TURBO BURGER

... et BANG ! On embrasse les platanes !

Pour 2 burgers • 2 patties de steak haché de 150 g • 2 feuilles de salade • Quelques rondelles d'automate • Quelques pickles pilotés • 1 car d'oignons confits • Beaucoup de tranches de cheddar (pas non plus des caisses) • 1 dérapage de ketchup • Une F1 de loup

BLOODY BURGER

Tu as invité des vampires à dîner ? Mauvaise idée. Ce sont des gens charmants, mais ils ont une fâcheuse tendance à vider leurs hôtes de leur sang, en guise de digestif. Une fin de soirée déplaisante, que tu pourras éviter en servant ce délicieux burger tartare.

Pas le temps de faire cuire quoi que ce soit ; tu n'as que quelques minutes pour leur caler quelque chose de consistant sous les crocs, sinon tu vas y passer. Ça tombe bien : les vampires aiment la viande crue. Saignante et de préférence humaine. À défaut, contente-toi de filet de bœuf. Hache la viande au couteau, en la coupant grossièrement. Le véritable Nosferatu aimera son burger bien saignant, avec des morceaux de chair à déchirer de ses cruelles canines.

Tout en tentant de repousser les hideuses créatures en les aspergeant d'eau bénite, hache l'ail, cisèle l'échalote, hache le persil et sépare les blancs des jaunes d'œufs.

Tu es presque sauvé : dans un saladier, mélange les jaunes d'œufs avec la moutarde et la Worcestershire sauce. Ajoute l'huile petit à petit, comme pour une mayonnaise. Incorpore ensuite l'échalote, le persil, les câpres, du poivre, le sel, le Tabasco et l'ail. Malaxe ce mélange avec la viande hachée jusqu'à obtenir un magma homogène qui aura l'allure d'un cerveau fraîchement extrait d'une boîte crânienne. Miam.

La viande doit bien évidemment être le plus fraîche possible. N'attends donc pas trop après l'avoir coupée. Découpe la tomate en dés. Dépose le lit de tomate sur le bun du bas, puis le tartare de bœuf, le ketchup et les mini-maïs bien pointus, pour faire les dents. Une attention touchante, qui devrait émouvoir tes convives et les dissuader de se jeter sur toi pour s'abreuver de ton sang.

Pour 2 burgers • 2 buns • 2 patties de steak haché de 150 g • Quelques gouttes de Tabasco • 1 échalote • Quelques brins de persil plat • 2 jaunes d'œufs • 2 cuillères à soupe d'huile de tournesol • 2 cuillères à soupe de Worcestershire sauce • 2 cuillères à soupe de câpres • 1 cuillère à soupe de moutarde • 1 gousse d'ail • 2 cuillères à soupe bombées de ketchup • 1 pincée de sel • Poivre de Tasmanie • 1 tomate cœur de bœuf • 8 mini-maïs marinés

BURGIVING

Viens célébrer le massacre des Indiens en cuisinant le burger à la dinde spécial Thanksgiving. Un burger des colons à se remplir le côlon.

Like every year, tu écoutes ton *daddy* chanter les premières notes de *God Bless America* de sa voix éraillée par cette putain de guerre du Golfe. Ta cousine Ashley, accoudée au piano, sourit niaisement avec ses faux airs de Britney Spears (1er album), pendant que vos mères se pressent en cuisine.

C'est alors que *mummy* te demande de préparer la purée. *Good boy!* Épluche et coupe grossièrement les patates douces et fais-les cuire dans de l'eau bouillante. Égoutte-les et écrase-les à la fourchette (ou à la hache de guerre), et ajoute la crème, la canelle et la muscade. Mélange puis réserve.

Là, tante Kimberley arrive dans la *kitchen* et te demande de t'occuper de la sauce aux *berries*. Hache finement les échalotes et fais-les dorer à la poêle. Ajoute les baies rouges et fais cuire le tout à feu doux. Verse le sucre et – *Oh my God, no! You are too young!* – c'est tante Kim qui mettra le vin blanc. Laisse réduire jusqu'à obtention d'une sauce épaisse, puis ajoute 50 g de beurre et réserve *again*.

Ton *daddy* est trop occupé à pester contre les *Democrats*, alors c'est toi qui te farcis la dinde. Sors ton barbecue de 8 m^2 (ou ta poêle si tu es un *fucking Frenchie*) et fais griller à cœur les blancs avec le reste de beurre. Fais revenir les cuisses de caille dans la même poêle. N'oublie pas de saler et poivrer, *darling*!

Finally, c'est le dressage : d'abord le bun du bas, puis une feuille de salade, le blanc de dinde, une tranche de fromage, la purée de patates douces. Le tout nappé de sauce, couvert du bun grillé et décoré avec les cuisses de caille. Enfin, toute la famille se réunit autour de la table. Vous vous prenez la main et reprenez en cœur le sermon de *daddy* : *« Thanks God for this turkey. Please protect my family and bring us back George Bush Junior. Amen ! »*

Pour 2 burgers • 2 buns • 2 tranches de cheddar • 2 blancs de dinde • 2 feuilles de laitue • 450 g de patates douces • 10 cl de crème fraîche • 1 demi-cuillère à café de cannelle • 1 demi-cuillère à café de noix de muscade • 2 échalotes • 150 g d'airelles • 1 barquette de groseilles • 1 demi-verre de vin blanc • 150 g de sucre roux • 75 g de beurre • 2 cuisses de caille • Sel et poivre

ÇA MET DU BURGER DANS LES ÉPINARDS

Liliane Bettencourt

BLEURGER

Cette matinée annonçait une belle journée dans les montagnes pour le troupeau. M. Jeannot savait qu'il devait se préparer un petit encas pour tenir sur les hauts versants des plateaux herbeux de ses pâturages.

M. Jeannot découpa sa tomate en rondelles et réchauffa ses épinards à feu doux. Mais sans lardons, la vie serait bien triste, songea-t-il. À son âge, on fait attention au cholestérol, alors il enleva le gras après cuisson en les posant sur du tissu.

Il ne voulait pas se priver non plus, et là-haut, plus près des cieux, il savait qu'il lui faudrait du réconfort. Il prépara donc sa fameuse mayonnaise à l'ail, ajouta au jaune d'œuf une pointe de couteau de moutarde. Au fouet, en versant de l'huile petit à petit, il la fit monter. Et mélangea le tout avec un trait de vinaigre et la purée d'ail. Le mélange fleurait bon la campagne.

Plus près du ciel, un casse-croûte doit être chaud. Il beurra et dora ses buns. Les steaks, eux, partirent dans la poêle 3 minutes, avant qu'il les retourne d'une main douce pour poser le gorgonzola dessus.

Il monta enfin son burger avec amour. D'abord le bun, sur lequel vinrent tendrement reposer les tomates gorgées de soleil. Les rejoignirent les fiers épinards, recouverts des lardons grillés. La mayonnaise vint napper le tout de sa douceur acidulée. Le steak, enfin, accompagna ce tableau idyllique. Il savait qu'il approchait l'Éden des papilles.

Recette du *Blue*
du Publicis Drugstore

Pour 2 burgers • 2 buns viennois bun snackés au beurre • 2 patties de steak haché de 150 g • 1 œuf • Huile de tournesol • 1 noisette de moutarde de Dijon • 1 trait de vinaigre • 1 gousse d'ail • 1 tomate fraîche • 300 g d'épinards hachés en boîte • 2 tranches de gorgonzola de 160 g • 125 g de lardons fumés

COCOTTE BURGER

**Deux burgers
à la coque à picorer.**

Pour 2 burgers • 2 buns aux céréales • 2 patties de steak haché de 150 g • 1 nid de pousses d'épinards • 2 jaunes d'œufs à cheval • 2 cuillères à soupe de cancoillotte

LE SEIGNEUR DES BURGERS

Alors que les bagels furent donnés aux hommes, le Seigneur des Ténèbres en fit forger un en secret, qui surpassait tous les autres. Un bagel pour les gouverner tous.

Il sortit de la Terre du Milieu le poivron jaune, qu'il découpa en lamelles. Il les fit revenir dans l'huile en y ajoutant sa cruauté, sa malveillance et sa volonté de dominer toute vie. Puis il les réserva.

En tant que Seigneur des Oignons, il en découpa quelques rondelles fines, et réserva une fois de plus. Il éminça le reste et le fit suer 5 minutes dans une casserole forgée par les maîtres nains, à feu moyen, avec une noix de beurre.

Il convia les plus grands magiciens de son époque : Origandalf, Saroupoivre le Blanc, Romarindagast et Gérard Curcumajax. Il les plongea dans la casserole pour s'approprier leurs pouvoirs. Il fit de même avec Frodo de cabillaud. Il couvrit le tout, et laissa cuire à feu très doux 8 minutes, en retournant le poisson à mi-temps.

Il pouvait maintenant forger le bagel unique. Il tartina le bun inférieur de Golhoumous. Il ajouta des œufs de Sauron et les recouvrit avec le corps sans vie de Frodo de cabillaud. Suivirent les rondelles d'oignon et le poivron jaune. Puis le mielfe. Le bun supérieur vint s'abattre dans un fracas d'enfer, enfermant dans le bagel une puissance telle qu'on en avait jamais vu de mémoire d'elfe, un pouvoir alimenté par des forces magiques dépassant l'entendement. Triomphant, il saupoudra le tout avec de la poudre de Mord'or, juste parce qu'il trouvait ça trop stylé.

Pour 2 burgers • 2 bagels • Un peu de poudre d'or alimentaire • 1 oignon jaune • 4 cuillères à soupe d'œufs de saumon • 2 dos de cabillaud de 200 g • 1 cuillère à soupe de curcuma en poudre • 1 cuillère à café d'origan en poudre • 1 brin de romarin • 1 pincée de poivre blanc • 2 cuillères à café de miel liquide • 2 cuillères à soupe d'houmous • 1 demi-poivron jaune • Huile d'olive • Beurre

GO GREEN BURGER

Toi, oui toi, citoyen du monde qui aimes les dauphins et l'encens, lâche ton cours de yoga bikram et viens préparer ton burger végé.

Telle Gaïa, l'abominable reine des neiges, enfourche ton pilon de guerrier de la cruauté animale et pile-moi l'ail. Dans un grand big bang d'amour et d'huile d'olive, écrase le basilic avec l'ail.

Prends une courgette que la nature t'offre et découpe-la en lamelles. Fais revenir tout ça dans une poêle bio avec de l'huile d'olive, à feu moyen pour ne pas écorcher la planète.

Attrape la tomate, fière artère coronaire de Mère Nature, et découpe-la (en la respectant).

Coupe en deux les mozzarellas issues du lait d'une bufflonne consentante. Snacke-les dans une poêle à feu très vif pour qu'elles soient chaudes et fondantes comme le berceau du monde qui t'a vu naître et grandir en son sein.

Célèbre la vie et l'estomac qu'elle t'a donné en créant ton burger : étale la sauce pistou sur les socles et chapeaux des buns et ajoute les tranches de tomate. Dépose les fines lamelles de courgette grillée au-dessus, puis la mozzarella, les tomates confites et les olives concassées. Va, vis et mange.

Recette du *Veggie*
du Publicis Drugstore

Pour 2 burgers • 2 buns snackés au beurre • 1 bouquet de basilic • 2 gousses d'ail • 1 demi-verre d'huile d'olive • 1 tomate • 2 poches de *mozzarella di buffala* • 1 demi-courgette • 50 g de tomates confites • 50 g d'olives noires taggiasche dénoyautées

DR. JEKYLL & MR. BURGER

Sa main tremblait en tenant l'éprouvette. Ce n'était pas un simple burger qu'il venait de créer, c'était une pure folie !

T'as intérêt à te grouiller de me préparer le chutney ! C'est pas parce que t'as acheté un bouquin de cuisine que t'es devenu Joël Robuchon ! Alors tu me tronçonnes les tomates jaunes et l'oignon, et tu les enfournes dans ton… Pardon, faites-les s'il vous plaît cuire à la poêle. Attendez sagement que l'eau de végétation s'évapore, déglacez avec le Coca, et caramélisez le tout jusqu'à ce que ça devienne adorablement homogène. Laissez réduire à feu doux et passez tranquillement à la sauce.

T'aimes manger épicé, mauviette ? Parce qu'on va faire une expérience très délicate : mixez le persil et l'ail avec un peu d'eau, ajoutez du sel, du poivre, passez au chinois, et remplissez une pipette avec la solution obtenue.

T'es pas une fiotte alors tu délayes la moutarde violette avec le lait, tu vides ta pipette de blaireau, et tu me la remplis avec la nouvelle sauce ! Non par pitié ! Vous pouvez prendre une autre pipette. Enfin, si vous le voulez bien…

Et tu me crames les steaks 3 minutes sur chaque face ! Et les buns aussi pendant que t'y es ! Non, faites-les toaster… Puis montez les burgers en commençant par la laitue. Ajoutez le chutney et des cornichons. Deux bonnes tranches ! Là-dessus, une pincée de corn flakes…

Et t'écrase ça avec un steak et de la sauce BBQ ! Sur le bun, plantez une pipette de chaque sauce et vous pourrez choisir de déguster votre burger Dr. Jekyll ou Mr. Burger !

Recette créée avec Le Calamar
Chef : Benjamin Garin
Photographie réalisée avec Moos-Tang

Pour 2 burgers • 2 buns aux sésames vert et violet • 2 patties de steak haché d'agneau de 150 g • 1 poignée de corn flakes • 4 tranches de cornichon malossol • 6 tomates jaunes • 1 oignon • 20 cl de Coca-Cola • 2 feuilles de laitue iceberg • 2 traits de sauce BBQ • 1 bouquet de persil • 4 gousses d'ail • 1 cuillère à soupe de moutarde violette de Brive • 10 cl de lait • Sel et poivre • 8 pipettes en plastique

ARMSTRONG BURGER

Hommage au premier homme à avoir mis le pied dans le plat.

Pour 2 burgers • 2 buns au sésame galactique • 100 g de fromage de Savoie lactée à tartiner • 2 blancs de poulet de 150 g • 1 traînée de mayonnaise • 1 poêlée de champignons constellée de sel

BEST-OF BIG FAT

Mangez cinq fruits et cinq burgers par jour !

Pour 2 burgers • 2 buns à l'encre de seiche • 2 patties de steak haché de 150 g • Quelques rondelles de cornichons aigres-doux • Quelques feuilles de salade iceberg ciselées • 1 demi-oignon cru émincé • 4 tranches de cheddar à faire fondre • 2 traits de sauce secrète : crème fraîche, béarnaise, cornichons pilés, confiture d'oignons et sucre

BAÏNE BURGER

Aloha, les blonds musclés ! On va se faire un petit casse-dalle en attendant que la vague du siècle arrive ?

Prépare ta compotée d'oignon. Épluche et découpe un demi-oignon, fais-le revenir (il était parti où ?) pépère, avec de l'huile, dans la poêle. Quand il commence à bronzer tranquille, éclabousse-le de sucre et laisse prendre. Enfin, réveille tout ça avec un coup de vinaigre balsamique que tu laisseras s'évaporer.

T'es bien saucé ? Coupe tes piquillos en deux et débarrasse-les de leurs pépins, comme du sable dans tes cheveux. Demi-oignon cru, ail et piquillos finement hachés rentrent dans le crew ! Le piment d'Espelette prend pas la poudre d'escampette et rejoint le reste. Fais sauter toute la bande dans la cocotte. Envoie les tomates, relax man, et laisse tout le monde faire trempette. Rectifie avec un peu de sucre en poudre. Pour finir, ajoute du sel, du poivre et le vinaigre de vin blanc, et mixe-moi tout ça comme un bon mojito glacé, avant de mettre au frigo.

Laisse le jambon se griller la couenne dans la poêle. Réserve. Envoie tes steaks faire la planche dans ta poêle puis retourne-les pour leur faire bronzer le dos. T'as la niaque ? Alors envoie une déferlante de fromage de brebis pour les faire fondre en plein cagnard.

On est presque arrivés au bout du rouleau ! Monte ton burger comme le surfeur dompte sa vague ! Tartine tes buns avec la sweet compotée d'oignon, ton steak peut se poser dessus, tope ça avec le jambon-crousti et de la salade enfin pour te gaver à la bien. Cale-toi chillax, et gaffe à pas récher ton burger dans le sable, sinon t'auras que tes yeux pour mouiller.

Recette de Yann aka Dj Lomo
Visuel de fond © Twice

Pour 2 burgers • 2 buns au sésame • 2 patties de steak haché de 150 g • 2 belles tranches de fromage de brebis • 2 cuillères à soupe d'huile d'olive • 2 tranches de jambon de Bayonne • 2 belles feuilles de salade romaine • 1 oignon jaune • 1 noisette de beurre • 1 cuillère à soupe de vinaigre balsamique • 1 cuillère à soupe de vinaigre de vin blanc • 3 pincées de piments d'Espelette • 500 g de tomates pelées et épépinées • 6 ou 7 piquillos • 1 gousse d'ail • 4 cuillères à café de sucre en poudre • Sel et poivre

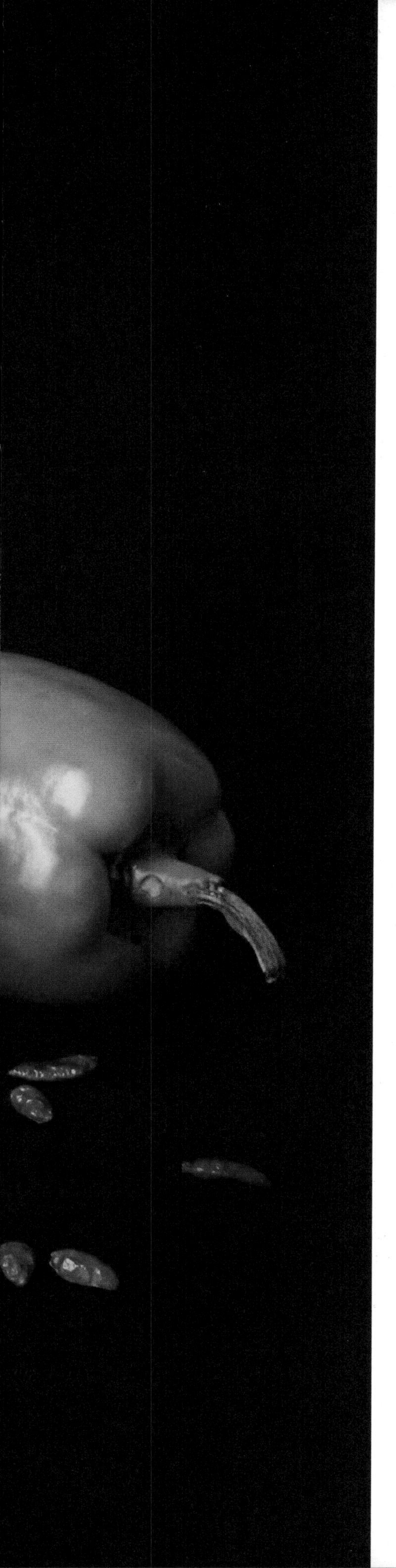

HALLOWEEN BRRRGER

Allô Ween ? Ici trouille ! Voici un burger bien relevé, idéal pour sceller un pacte avec le diable. Afin d'invoquer les forces du mal, tu devras sans doute sacrifier d'innocents ingrédients...

Le sacrifice est prévu pour minuit. La carotte n'a pas mérité de vivre : écorche-la en fines lamelles. Une moulinette à fromage sera plus efficace, mais un économe fera durer le plaisir. Trépane le poivron de tous ses pépins jusqu'à ce qu'il te supplie de l'achever. Coupe-lui la queue et garde-la. Une fois le poivron scalpé, tranche-le en lamelles. Fais griller la chair du poivron à feu moyen dans une poêle pendant 10 minutes. À ce stade, la patate douce devrait être transie de peur. Écorche-la et mutile-la en rondelles, puis plonge-les dans une poêle d'huile d'olive et de gros sel sur feu moyen jusqu'à ce qu'elles soient cuites à cœur.

Pendant ce temps, perce le bun de deux triangles pour faire les yeux à l'aide d'une dague de sacrifice (pour les petits budgets, un ciseau de cuisine fera l'affaire). Pour l'achever, enfonce-lui la queue du poivron dans le crâne.

Il est temps de t'occuper du potiron : écorche-le, tronçonne-le en gros morceaux et plonge-le dans un chaudron d'eau bouillante et salée pendant 10 minutes. Il refuse toujours de se soumettre ? Égoutte-le et réduis-le en purée. Ajoute la moutarde et la poudre de piment, remue la préparation jusqu'à ce que le potiron te supplie. Tes steaks ont-ils été bien hachés à la hache ? Asperge-les de pili-pili et laisse-les cuire sur une face 2 à 3 minutes pour les garder en vie. Quand ils n'en peuvent plus, retourne-les et recouvre-les d'une tranche de cheddar.

C'est le moment de présenter tes offrandes à Satan. Dispose sur le pain la roquette, les rondelles de patate douce, puis la purée de potiron, le steak, le poivron et enfin la carotte râpée. Ton intestin va goûter au supplice éternel.

Pour 2 burgers • 2 buns • 2 patties de steak haché de 150 g • 1 carotte • 1 poivron • 1 grosse patate douce • 1 bonne pincée de gros sel • 300 g de potiron • 1 cuillère à soupe de moutarde forte • 1 cuillère à café de poudre de piment pili-pili • 2 tranches de cheddar • Quelques feuilles de roquette • Huile d'olive • Sel et poivre

Recette du *Pepper*
du Publicis Drugstore

PEPPER CRASH BURGER

**Pépère, tu dors ?
Ton moulin à poivre
va trop vite…**

Pour 2 burgers • 2 buns aux céréales snackés au beurre • 2 steaks de bœuf haché de 150 g poivrés des deux côtés • 2 cuillères à soupe de mayonnaise aux quatre poivres • Quelques tranches de tomate • 1 poêlée d'échalotes • 2 tranches de cheddar fermier à gratiner

BURGER D'AMOUR

Moi, les mots tendres enrobés de douceur se posent sur ma bouche, mais jamais sur mon burger.

Pour préparer les buns au caramel, attrape ta poêle à fond clair. Offre-lui un gros câlin de su-sucre en poudre. Laisse-les se cajoler à feu tendre sans remuer ni ajouter d'eau. Lorsque des petits îlots de caramel batifolent, remue doucement le liquide. Dépose quelques baisers sensuels de colorant rouge passion. Vas-y en douceur bébé, évite le coup de foudre thermique. Une fois que le caramel bouillonne d'ardeur, attaque en le remuant passionnément. Verse vite le caramel sur le bun qui rougit déjà. Ajoutes-y quelques grains de sésamour.

Décoche ta flèche de Cupidon et fends l'oignon mignon en rondelles. Cajole l'oignon dans une poêle chaude et lubrifie avec une noix de beurre. Un petit flirt de 5 minutes montre en main. Puis une petite giclée de sucre pour finir l'union. Réserve.

Il est temps de raviver la flamme, ma petite côte de porc… Dans la même poêle, dépose côte à côte les fri-côtes de porc assaisonnées de sel et de poivre 2 minutes de chaque côté. Quand elles sont bien a-dorées, baise le feu et déglace la poêle avec un petit verre d'eau froide. Couvre la poêle et laisse mijoter. Lave et coupe la pomme pink lady-moi-oui en fines tranches. Avec une infinie tendresse, monte ton burger : dépose le fromage, caresse-le de la gelée de cerises noires, allonge la côte de porc sur le lit de tranches de pomme, dépose les oignons et met le grappin sur les groseilles. On remet le couvert, chérie ?

Pour un couple de burgers • 2 buns au sésame • 2 côtes de porc de 150 g • 1 oignon rouge • 1 pomme pink lady • 100 g de fromage de brebis en girolles (type tête-de-moine) • 50 g de gelée de cerises noires • 2 grappes de groseilles • 250 g de sucre en poudre • 20 cl de colorant alimentaire rouge • 1 grosse pincée de graines de sésame • Beurre • Sel et poivre

VEGA$ BURGER

On espère que tu as un bon gros pactole, ta meilleure pokerface et que t'es prêt à rouler dans le luxe et le stupre des tapis veloutés et profonds de Vegas ! On est partis pour faire sauter la banque, et ton estomac avec. T'inquiète pas, ce qui se passe à Vegas reste à Vegas…

Commence par laver tes carreauttes. Passe-les à table en épluchant leurs tactiques, mets-les à nu, et ruine-les en morceaux ! Puis taille un costard à l'oignon, la mode est aux cubes cette année. Fouille le concombre à l'entrée, ouvre-le en deux pour le checker et vide-le de ses graines. Pour la table de craps, coupe-le en dés !

Maintenant, prépare la cagnotte. Dans un grand récipient, mélange le vinaigre blanc, l'aneth, le sel et le sucre. Et bien sûr, pour faire pleurer les adversaires, ajoute des graines de moutarde et des épices mélangées.

Dernière ligne droite en *face to face*. Mise tes oignons, carottes et concombres dans le grand bain. Et laisse-les mariner pour s'imprégner pendant 1 heure minimum. Puis lave et coupe ta tomate cœur de bœuf en rondelles de jeton. Coupe aussi la ciroulette avant que rien n'aille plus. Maintenant, garde ça en réserve pour ton tapis.

Joue ta position, envoie les steaks de bluff sur le gril. Attends pas le burn, laisse-les 3 minutes. Et là, pousse ton avantage, et si tu te sens des cabécouilles en or, relance d'un fromage sur chaque steak pendant 3 minutes. Écrase-les un peu pour les faire cuire plus vite et mettre la pression.

Quand ton coup est prêt, envoie ta mâchine à sous sur ton bun, puis va à tapis avec ton steak, et n'oublie pas les jetons du départ, ta ciroulette, tes tomates et les pickles, avant de refermer la main par le bun. Finis par recouvrir de poudre d'or, et tu devrais toucher le jackpot !

Pour 2 burgers • 1 tomate cœur de bœuf • Quelques brins de ciboulette • 300 g de steak haché • 1 noix de beurre • 2 carottes • 1 oignon • 1 demi-concombre • 50 cl de vinaigre blanc • Quelques brins d'aneth • 3 pincées de sel • 20 g de sucre en poudre • Quelques graines de moutarde • 1 pincée de mélange d'épices • 2 petits cabécous • 1 poignée de mâche • De l'or en poudre 24 carats

WELCOME
TO Fabulous
FAT&FURIOUS
BURGER

LE MALHEUR DES UNS FAIT LE BURGER DES AUTRES

Bernard Madoff

CAESAR BURGER

Je suis venu, j'ai vu, j'ai goûtu. Un burger (des Gaules) de poulet à la sauce Caesar de taille à nourrir des légions de plébéiens affamés, entre deux courses de chars.
Tu Quoque Mi Burgeri!

Primo: Preparum la salsa Caesara. Fatum cuirem l'œufus una minutam et trentum secondem dans l'aqua bouillanta, puis rafraichum l'œufus sous l'aqua fresca. Memoriam: una minutam et trentum secondem maximus! Dura lex, sed lex. Cassum l'œufus grosso modo dans le bolum d'un mixerus, puis mixum, avec le parmesanum rapum, les capri, la moutarda, l'aillum, l'oleum d'olivam et le jussem d'un demi-citronem, et cætera. Quid de l'altra parta du citronem? Expecta, amicus! Equilibrum avec du salus et du poivrem (ad libitum), puis conservem. Carpe diem, amicus.

Secundo: Preparum la garniturem. Simplissimus: fata doratum les pignoni de pinum in una poêla ad hoc, sine matieram graissum. Errare humanum est, sed matieram graissum non bonum est para le gros ventrum. Reservus. Tempus est de grillare les filetae de pouletum post mortem, honoris causa: preparus una poêla avec le jussem, de facto, de l'altra demi-citronem, et fatus grilladus. Retournem et bis repetita. Pendantum la cuissonam, decoupum le filetus d'anchoivem en mini-morceum, secator la tomata in tranchem et lavam la salada (salada romana manifestum!). In fine, nunc est le mometum de montare le corpus burgeri. Primo, bunus inferiorus, deuxio la salada romana, tertio le morceum d'anchoivem, quatro le pouletus grillus, cinquo le pignoni.

Napum avec la salsa Caesara et – Deus ex machina – arrosum de pluribus copeauxem de parmesanum. Fermatum le burgeri cum le bunus superiorus. Alea jacta est! Ite missa est. Ave Caesar! Mangeaturi te salutant!

Pour 2 burgers • 2 buns au sésame • 2 filets de poulet • Quelques feuilles de salade romaine • 1 filet d'anchois mariné • 1 tomate • 100 g de pignons de pin • 1 gousse d'ail • 50 g de parmesan en copeaux • 25 g de parmesan râpé • 1 œuf • 2 cuillères à café de câpres • 1 demi-cuillère à café de moutarde • 1 citron • 15 cl d'huile d'olive • Sel et poivre

BURGIRL

Bonsoir, toi ! Mate un peu mes gambas appétissantes. Hmmmm… Tu ne tiens plus ? Tu as envie de me dévorer ? Laisse-toi faire, je vais t'apprendre à me cuisiner.

Faire monter la sauce. Fais pas le timide. Installons-nous dans ta cuisine. Allume des bougies et enlève tous tes vêtements. Oui, le slip aussi. On va tranquillement faire monter la sauce du désir : presse les citrons, ajoute le nuoc-mam, le soja et l'huile d'olive. Avec tact, travaille les feuilles de menthe, de coriandre et la gousse d'ail. Caresse le tout avec une cuillère. Trempe ton doigt et porte-le à ma bouche. C'est bien ce que je pensais, ajoute du sel et du poivre.

Ne pas oublier les préliminaires. On peut s'occuper de ton concombre maintenant. Avec doigté. Lentement. En fines rondelles. Et puis, tant qu'on y est, fais la même chose avec ma betterave. C'est bien. Comme ça… Mais attends, c'est qui cet avocat qui nous mate là-bas, dans son coin ? Il a cru qu'il allait s'en sortir comme ça ? Mets-lui le grappin dessus, déshabille-le et taille-le, lui aussi.

C'est l'heure de conclure. L'art de monter son burger n'est pas donné à tout le monde. Alors écoute-moi attentivement. Tu vas commencer par t'occuper de l'avocat. Plaque-le sur le lit de pain et badigeonne-le avec le jus du pamplemousse et les œufs de saumon. Arrose-le avec ta sauce. Mais n'oublie pas d'en garder pour plus tard. Maintenant c'est à mon tour. Avec force et douceur, positionne mes gambas et empare-toi de ma betterave. C'est bon. Les choses se mettent en place. Plus vite. Tu peux maintenant libérer ton gros concombre. Ça vient. Encore. Oui. Balance la sauce ! Toute la sauce ! Vas-y !

Tu vois, c'était pas si compliqué. Maintenant tu peux refermer le lit de pain. C'est quoi ton petit nom déjà ?

Pour 2 burgers • 2 buns • 4 grosses crevettes décortiquées • 1 concombre • 1 betterave cuite • 1 pamplemousse • 1 avocat • Quelques feuilles de coriandre • 2 citrons • 1 gousse d'ail • Quelques feuilles de menthe • 2 cuillères à soupe d'œufs de saumon • 2 cuillères à soupe de sauce nuoc-mam • 2 cuillères à soupe de sauce soja • 1 cuillère à soupe d'huile d'olive • Sel et poivre

LA SURPRISE DU CHEF

Ce soir, le Chef vous propose : Tendresse limousine à la mousseline suprême du Chef. Mi-cuit tiède de mulard du Sud-Ouest en cristaux. Symphonie d'épices nacrées à la réglisse d'oignon. Salmigondis de légumes primeurs juste raidis sur oreiller viennois.

Deux burgers du Chef pour la 12 ! Deux ! Le commis, qu'est-ce que t'attends pour commencer la sauce ? Jaune d'œuf, moutarde, sel, poivre dans un bol. On se remue ! Allez, guignol, bats plus fort, arrose avec de l'huile. Faut que ça monte ! Vinaigre de vin, concentré de tomates et ketchup. Oui, KETCHUP !

Toi, à la plonge, tu t'es cru à l'Aquasplash ? Arrête de suer dans les casseroles ! Fais revenir l'oignon avec le beurre, le sucre et les baies. Bordel de merdieu, c'est Marineland dans ton uniforme ! Déglace avec le vinaigre balsamique. Fais-moi goûter ! Et sors de là, tu gouttes du tablier.

Bien, ça, le pâtissier ! Fais-moi de belles cloches arrondies avec les buns. Sois délicat en enlevant la mie… Chaud, chaud, chaud !

Et le rôtisseur, il m'envoie la viande en cuisson ? Ce sont des bijoux, ces steaks, alors respecte-les ! Trois minutes de chaque côté, pas plus !

Allez, allez, bande de manches à balai, magnez-vous la rondelle, on dresse ! Sur le socle : Oignon ! Tomate ! Sauce ! Steak ! Et on balance la tranche de foie gras ! On saupoudre d'une pincée de sel ! Et comme chaque marmite a son couvercle, on termine avec le bun. ON ENVOIE EN SAAAAALLLE !

Recette du *Chef*
du Publicis Drugstore

Pour 2 burgers • 2 buns viennois snackés au beurre • 2 patties de steak haché de 150 g • 240 g de foie gras • 1 tomate • 1 oignon jaune • 4 cl de vinaigre balsamique • 1 cuillère à soupe de sucre • 1 jaune d'œuf • 1 cuillère à café de moutarde de Dijon • 1 demi-verre d'huile de tournesol • 1 pointe de vinaigre de vin • 1 noix de beurre • 1 cuillère à café de ketchup • 1 cuillère à café de concentré de tomates • Quelques baies roses • Sel et poivre

BURGER DES ROIS

C'est pour qui celle-là ?

Pour 1 burger à partager • 1 gros bun (environ 160 g de pâte) • 1 filet de 300 g de cabillaud cuit au jus de citron • 1 demi-carotte coupée en lamelles • 1 demi-brocoli réduit en purée avec de l'amande en poudre et de l'huile d'olive • Quelques amandes concassées • 1 fève

BURGER DES CANDIDATS

Le burger du changement, c'est maintenant !

Pour 2 burgers • 2 buns nationaux (28 %) • 2 cuillères à café de gauche caviar et d'œufs de l'UMP (1,5 %) • 200 g de morue Marinée (32 %) • 4 Saint-Jacques Cheminade (6 %) • Quelques feuilles de salade Mélanchée (9,5 %) • 2 traits de sauce Hollandaise (8 %) • 6 rondelles de pauv' con-combre (7 %) • 1 poignée de pignons-Aignan (3 %)

TURF BEER

BEERGER

T'aime la bière et les burgers ? Au lieu d'aller te ruiner au pub du coin pour boire une mousse tiède et manger un steak de cheval, viens donc goûter aux joies de la cuisine à la bière !

C'est l'happy hour pour le petit chou. Commence par lui couper les feuilles pour t'en faire des demis. Remplis ta casserole d'une pinte d'eau et attends que ça mousse. Balance les demis de chou cul sec ! Patiente 20 minutes, le temps d'ouvrir ta 8.6 et de commencer à manger tes chips au vinaigre, que tu ferais mieux de garder pour la suite de la recette. Là, tu devrais être bien essoré. Quant à tes feuilles de chou, raconte-leur des salades en les sortant.

On se prépare à envoyer la sauce, maintenant qu'on est bien chauds. Prends ton oignon et taille-lui les rondelles. Bim ! Dans la poêle, jusqu'à ce qu'elles se prennent une cuite. Puis mets-leur la pression avec de la mousseuse et le jus de l'orange. On appelle ça le mimosa du pauvre. Attends que ça cuve, puis gicle un peu de crème là-dedans. Laisse couler quelques minutes à feu doux. Sale et poivre. Réserve.

Tu tiens encore un peu sur tes jambes, vu le nombre de bières que t'as éclusées depuis l'intro ? Dans une poêle bien chaud-bouillante, fais presser ton steak 3 minutes. Retourne-le d'une bonne mandale et renverse deux tranches de chester dessus. Trois minutes plus tard, charge-moi tout ça au vinaigre de cidre ou de malt, tant que c'est à base d'alcool...

Si t'arrives encore à lire ces lignes, c'est que t'as pas compris le principe de ce burger, alors ce qui suit s'adresse aux demi-portions qui sont au Perrier tranche. À défaut de monter les deux jumelles assises au bar, occupe-toi de l'éfidi-... de l'édifita-... de l'édification de ton burger. D'abord le bas du bun, tes feuilles de chou, puis envoie la sauce bien mousseuse comme on aime, les chips qui restent au fond de ton bol graisseux et le steak, bien murgé. Hop ! Tu dégustes.

Pour 2 burgers • 2 buns aux céréales (malt, orge et houblon) • 2 patties de steak haché de 150 g • 1 orange • 1 paquet de chips au vinaigre • 1 oignon • 4 tranches de chester • 1 chou vert • 15 cl de crème • 2 Turf Beer 33 cl • Vinaigre de cidre • Sel et poivre

NEW DELICE BURGER

Apprenti fakir, sache que ce burger ne s'adresse pas aux pique-assiettes ! Il te faudra surmonter de rudes épreuves avant de parvenir au nirvana de la dégustation. Es-tu prêt ?

Ôte tes tongs et allume la lumière de tes chakras. Sur une planche en bois de lotus, coupe les oignons en fines rondelles sans jamais cligner des yeux. Ça pique? Trouve en toi la force nécessaire pour contenir tes larmes. À mains nues, fais revenir ta préparation dans une poêle ardente, ajoute le sucre et le curry. Laisse méditer à feu doux et réserve.

Brise la coquille de l'œuf d'un coup sec avec ton front. Si tu n'y parviens pas, essaye encore. Conserve uniquement le jaune et mélange-le à la mou-tarde-pas-trop-sur-les-braises. À l'aide d'un clou rouillé, fouette le tout en incorporant progressivement l'huile. Ne faiblis pas, fais monter comme une mayonnaise. Enfin, le clou du spectacle : assaisonne le tout d'une pointe de vinaigre de vin et du tandoori (ra-bien-qui-rira-le dernier !).

Les yeux bandés, empare-toi d'un couteau tranchant et lance-toi à l'assaut de la tomate. Puisse Shiva la destructrice te venir en aide pour parvenir à la couper en fines rondelles !

Pour te reposer après cette épreuve, installe les deux steaks sur ton plan de travail et agenouille-toi humblement pour demander pardon à la vache sacrée que tu t'apprêtes à cuisiner. Attends un signe de sa part avant de poursuivre (pas de panique, ça peut prendre plusieurs semaines). Tu pourras alors cuire les patties : 3 minutes d'un côté, 3 minutes de l'autre, avec le cheddar.

Si tu arrives à cette étape, c'est que tu disposes du karma nécessaire pour manger le New Delice Burger. Monte-le avec tes pieds et savoure-le comme un vrai fakir : dans une assiette brisée en mille morceaux.

Recette du *Spicy*
du Publicis Drugstore

Pour 2 burgers • 2 buns au curry snackés au beurre • 2 patties de steak haché de 150 g • 1 œuf • 1 cuillère à soupe de moutarde de Dijon • 1 cuillère à soupe d'huile de tournesol • 1 cuillère à café de vinaigre de vin • 1 cuillère à café de curry en poudre • 1 cuillère à café de sucre en poudre • 1 pincée de tandoori en poudre • 1 tomate • 2 oignons • 4 tranches de cheddar fermier

YIN BURGER

Ô grand maître, océan de sagesse éblouissant, voici votre burger yin au poulet à déguster froid !

Pour 1 demi-burger • 1 demi-bun au sésame • 1 filet de poulet cuit au lait de coco et gingembre • 1 trait de sauce au fromage blanc, citron et basilic • 1 blanc d'œuf au plat • 1 pincée de poivre blanc • Quelques rondelles d'oignon blanc • Quelques feuilles de chou blanc râpées • 1 feuille de cœur de frisée

YANG BURGER

Assez finassé, fils de 他妈的 ! Va dans cave et prépare à ton maître nourriture ! Manger bœuf chaud je veux !

Pour 1 demi-burger • 1 demi-bun à l'encre de seiche • 100 g de bœuf haché Black Angus • 1 trait de sauce soja • Quelques rondelles de radis noir • Quelques champignons noirs • 1 pincée de poivre noir • 1 trait de sauce barbecue au whisky Black Label

AKENA THON BURGER

Yo mon frère, t'as mis tes poils de torse et enfilé ta chaîne en or qui brille ? Direction planète Marseille pour l'école du burger d'argent !

Ton gros thon cru, frère, qui se repose dans une assiette,
Noyé dans le jus de citron, du sel, du poivre en miettes,
Le pastis de ta province et les herbes de ta Provence,
Tu le laisses mariner au frais, mais est-c'que tout ça a un sens ?

Ta grosse sauce aïoli, man, tu dois la faire vaille que maille.
Tu chopes le mortier de ton père et tu me piles les gousses d'ail.
Jaune d'œuf, moutarde, sel et poivre se lancent aussi dans la bataille,
Peu à peu l'huile se mêle en mince filet à la mitraille.
Tu te rappelles, cousin, du fouet violent des gros caïds ?
À toi de fouetter enfin ! Fais gicler le vinaigre acide.

Découpe ton aubergine, cousine, en tranches bien affinées.
Fais revenir à feu bien vif avec masse d'huile d'olive et d'ail émincé.
Quand l'aubergine est cuite à cœur et un peu brunie, ma Carla,
Laisse cuire à feux doux jusqu'à évaporation avec un trait d'soja.

Monte ton gros burger, ma sœur, pour ton bled de Marseille :
D'abord le basilic, puis les tomates séchées c'est chic.
Dépose ton cœur d'artichaut, coupé en deux c'est bien plus beau.
Ajoute le thon mariné, et les aubergines grillées.
Recouvre avec ton aïoli, bébé.
Ça y est c'est prêt, tu vas déguster !

Pour 2 burgers • 2 buns • 2 pavés de thon rouge cru • 1 jaune d'œuf • 4 gousses d'ail • 20 cl d'huile d'olive • 1 cuillère à soupe de moutarde • 1 cuillère à soupe de vinaigre de vin • 1 aubergine • 1 trait de sauce soja • 8 tomates séchées • Quelques feuilles de basilic • 1 bouchon de pastis • 2 grosses pincées d'herbes de Provence • Le jus de 1 demi-citron • Quelques cœurs d'artichaut • Sel et poivre

FAT

BIBERON BURGER

Dans le royaume sans roi
du seigneur Jean Bon,
les nouveau-nés mangent des
burgers en forme de biberon !
Ils portent des cravates
à petits pois carrés,
et coiffent leurs poils de carotte
la raie au milieu sur le côté.
Les grands gagnent leur pain
en faisant des chatouilles aux têtards,
Et ceux kirient pas sont réduits
en purée par la fée Épinard !

SANTA FAT BURGER

Petit foie gras de Noëëëëëëëël quand tu descendras dans mon intestin grêêêêêêêle...

Pour 2 burgers • 12 tranches de pain d'épice • 2 patties de steak haché de 150g • Quelques rubans de lard fumé • 2 tranches de foie gras • 2 pincées de fleur de sel • 2 cuillères à soupe de confiture de figues • 2 feuilles de laitue

CHASSE BURGER ET TRADITION

Allez, Gégé, la chasse est ouverte et ton appétit aussi… Viens par-là, mon gros sanglier, approche, viens voir Gérard, il va te cuisiner au pinard, gros lard. PAN !

Bien joué, Roger ! En plein dans le mille, Émile ! Allez hop, dépèce la bête et coupe-la en gros cubes. Files-en un peu à ton chien parce que, sans lui, tu sais pas chasser. Et pense à retirer la balle, Pascal ! Découpe les carottes taille cartouches. Fends la tomate à la hache. Diou, c'est pô bien difficile à faire, Robert ! Mélange tout ça dans une gibecière avec du pinard, Bernard ! (Et gardes-en une lampée de côté, René). Ajoute les clous de girofle, la noix de muscade et le bouquet garni, Thierry. Laisse la bête s'imbiber au frais toute la nuit dans la vinasse et va cuver dans ton lit, Jacky.

Au réveil, fais cuire la bête dans son jus à feu doux pendant 3 à 5 heures. En attendant siffle-toi une bouteille au goulot, Pierrot. Puis va piquer un p'tit roupillon, Gaston. Une fois que le jus s'est sauvé, réserve la chair de Didier, le sanglier. Poivre et sel, Marcel.

Enlève ta botte et prépare le persil, Darryl. Nettoie et coupe grossièrement les champignons (pendant la chasse, c'est la saison). Émince l'ail et fais fondre un gland de beurre dans une gamelle, Michel. Fais revenir la poêlée de champignons, Léon. Réserve.

Découpe l'oignon en (pas de) quartiers et fais-le fondre dans une poêle. Ajoute un dernier coup de rouge et le miel, Daniel.

Monte ton burger (pain/viande/accompagnement/pain) et va montrer ton trophée à tes acolytes, tu l'as mérité. T'as plus qu'à te goinfrer, Dédé !

Pour 2 burgers • 2 mini-pains de campagne • 400 g de viande de sanglier • 80 cl de vin rouge • 1 bouquet garni • 1 pincée de noix de muscade • Quelques clous de girofle • 1 tomate • 2 carottes • 3 gousses d'ail • 100 g de marasmes • 100 g de pleurotes • 100 g de cèpes • 1 oignon rouge • 10 cl de miel • 1 petite botte de persil plat • Beurre • Sel et poivre

BEUHRGER

Rastafaraï, jah love, mon frère ! Venu directement de Kingston-Jamaïque, ce burger de la détente va tester ta dépendance de junkie à la *junk food*.

Commence par te rouler des bonnes galettes, *brother.* Réunis le matos dans le mixeur : le maïs, le fromage, 2 œufs, du sel et du poivre. Effrite la farine dans le mélange puis dans une poêle bien beurrée, fais cuire 3 minutes de chaque côté tes galettes de qualité. Si t'as les yeux rouges, dis que c'est la fumée. De la cuisson, hé !

Rallume ta poêle, *man*, une taffe, envoie ton bacon fumé, encore une taffe. Quand il est bien crousti, repose-le sur un canapé de papier absorbant. Si t'es en descente, lance tout de suite tes steaks dans la poêle 3 minutes de chaque côté. Pas de *bad trip*, mon ami, les stups vont pas débarquer ! Alors une fois les steaks cuits, sors 2 œufs de ton pochon et cuis-les au plat. Ajoute ton herbe : prends ta ciboulette et hash-la finement. Prends ton temps, mec... *Respect for the plants.*

T'endors pas, c'est pas fini. Passe tes buns au grille-pain, fais attention à pas les brûler... Pétard ! Je t'avais dit de pas les oublier, présentement ils sont cramés.

Maintenant, il s'agit de pas avoir la tremblote pour faire ton grand collage, cousin. Pas de carotte, hein ? D'abord un bun, puis roule tes feuilles de salade, ton steak, tes galettes, tes barrettes de bacon, et l'œuf au plat. Pour finir, ta ciboulette de shit. Et le ganjha bun au-dessus de tout ça, rasta. Allonge-toi et profite du voyage, en toute légalité.

Pour 2 burgers • 2 buns aux herbes • 2 patties de steak haché de 150 g • 4 feuilles de salade • 6 tranches de bacon • 4 œufs • 150 g de maïs • 1 cuillère à soupe de farine • 50 g de comté • 4 branches de ciboulette • Beurre • Sel et poivre

AUSSI-
TÔT DIT
AUSSI
TOASTÉ

Jeanne d'Arc

BRUNCHGER

Bon, on est dimanche matin, parle pas trop fort, et oublie la casquette de ton samedi soir de folie passé à boire un cubi au goulot. Bouge-toi les buns et t'inquiète pas, on te prend par la main. On va faire simple.

Déjà, trouve des patates. Et tu sais quoi ? Tant qu'on y est, choisis un oignon qui ait l'air plus frais que toi. Désape et râpe les patates et l'oignon. T'emmerde plus maintenant, mélange tout ça avec 1 œuf, du sel, du poivre et le peu d'amour-propre qui te reste.

Là, attention ! Moment intense ! Concentre tes trois neurones survivants et fais deux galettes, que tu balances dans une poêle chaude et bien huilée. T'inquiète, c'est bon pour c'que t'as. Attends qu'elles soient plus grillées qu'une quinquagénaire sur les plages cannoises et t'es bon. Sers-toi un verre d'alcool, t'as bien mérité ça.

Maintenant c'est simple... Bacon. Poêle. Grillé. Miam. Nan, pas manger maintenant. Patience, Médor.

Toujours simple. Sincèrement, tu pourrais demander à un enfant de le faire. Mets les 2 œufs qui restent dans une poêle, et cuis-les au plat. Ça veut dire que tu fais juste rien, tu les regardes sagement frémir sur le feu. ATTENTION, t'endors pas ! Puis tu les mets de côté. Comme les restes de ta gueule de bois.

C'est tellement simple, t'as vraiment besoin d'une recette ? Sers-toi de la photo et débrouille-toi. Bon, ok. Mets tes muffins découpés au grille-pain, puis beurre et confiture d'abricots pour chacun. BOUM. Attention, arrête la tremblote de tes vieux doigts de clochard en descente de rave party, parce qu'il faut monter le burger. Dans cet ordre (et après tu manges, on y est presque) : bun, laitue, bacon (mmmm ! Bacon !), galette de pomme de terre, cheddar, œuf, et enfin bun.

Vas-y, jette-toi dessus comme tu t'es jeté hier sur la première venue. Ou sors au soleil si y en a. Si t'habites à Lille, ben dommage.

Pour 2 burgers • 2 muffins • 3 œufs • 4 tranches de bacon fumé • 2 grosses feuilles de laitue • 2 tranches de cheddar • 2 cuillères à soupe de confiture d'abricots • 3 pommes de terre • 1 demi-oignon • 2 cuillères à soupe d'huile d'olive • Beurre • Sel et poivre

BURGER BLANC SUR FOND BLANC

Plus qu'un burger, un manifeste !

Pour 2 burgers • 2 buns saupoudrés de farine • 2 filets de poulet de 150 g • 1 demi-camembert rôti au miel • Quelques tranches de poire • Quelques petits oignons blancs au vinaigre • 1 endive

MUSHROOM BURGER

Mangez-moi, mangez-moi, mangez-moi.

Pour 2 burgers • 2 buns décorés de lamelles de champignons de Paris • 2 patties de bœuf de 150 g • 2 traits de crème aux champignons des bois (pleurotes, morilles et chanterelles) • Un peu de persillade (quelques feuilles de persil et 1 gousse d'ail hachées) • Quelques feuilles de salade

MY NAME IS BUN. JAMES BUN.

Nonchalamment accoudé au bar, James embrasse la scène du regard. Les mondanités attirent toujours la même faune. La mission vient de commencer, mais comme un vrai professionnel, James ne se lance jamais le ventre vide !

Prépare une marinade grand luxe et sors le grand jeu pour les filets de dorade royale. Mélange le miso, le jus du citron, quelques zéro zéro zestes, l'aneth et un peu d'huile d'olive dans une assiette creuse, à la cuillère, pas au shaker. Fais mariner les filets royaux pendant une bonne heure.

Grâce à ton nouveau gadget, tu peux préparer la décoration des golden buns en posant avec doigté les feuilles d'or sur le dessus à l'aide de ton pinceau en fibre optique à tête chercheuse. Pour terminer, parsème-les d'une tombée de grains de béluga, un *sky fall* de caviar.

Fais monter la température en préchauffant ton four à 220 °C (thermostat 007) pendant 10 minutes. Ça devrait te laisser le temps d'aller flirter avec la gousse d'ail en chemise pour la lui faire tomber. Dépose-la dans un ramequin, bien huilé, et passe-la au four 20 minutes. Un gentleman prépare le petit déjeuner pour ses conquêtes, et l'ail ne déroge pas à la règle. Prépare-lui donc des œufs de caille au plat. Mais des soupçons pèsent sur l'ail, et tu n'as pas d'autre choix que de le réduire en pulpe ! Mélange tout ça avec la crème et un peu de marinade. Passe aussi les filets de dorade à la casserole voir ce qu'ils ont à dire ! Deux minutes de chaque côté devraient les faire parler.

C'est l'heure du duel final, et il est temps de monter ton burger. Commence par les octosupions marinés, puis ton *quantum of salade*, et mitraille le tout de caviar. Sors les dorades grillées des flammes, ajoute-les à ton burger et arrose de sauce blanche. Victoire, c'est une affaire classée sous le bun du destin.

Pour 2 burgers • 2 buns • 12 feuilles d'or alimentaires • 2 œufs de caille • 2 grands filets de dorade royale • 25 cl de crème fraîche • 4 grandes feuilles de salade • 100 g de supions marinés • 20 g de pâte miso • 1 citron • 20 g de caviar • 1 brin de fenouil • 1 brin d'aneth • 1 grosse gousse d'ail • Huile d'olive

MADAME BURGER

Au pays des Burgers, Monsieur Burger était souverain. Il terrorisait tout le monde avec sa cruauté, sa grosse voix et son air grognon. Un jour, Madame Burger décida que ça suffisait.

– Di-di-di-dites-moi, qu-qu-qui êtes-vous et qu-qu-que venez-vous faire i-i-i-ici ? *questionna Burger Flippé, le gardien du château de Monsieur Burger.*
– Je suis Madame Burger, je viens voir Monsieur Burger. Et si vous ne me laissez pas passer, je vous coupe le poivron en deux, je vous l'épépine et vous le fais cuire sous le gril du four 15 minutes à 180 °C, thermostat 6 !
– V-V-Vous n'allez tout de même pas sortir ce poivron, le peler et le découper en lamelles, sss-sss-si? *bégaya Burger Flippé…*
– Oh que si! Et après les avoir réservés, je plongerai d'abord vos aiguillettes une à une dans une assiette avec les œufs battus, puis je les enroberai dans la chapelure pour les faire dorer sur les deux faces dans une poêle bien beurrée !
– Gloups, manquerait plus qu'elle les réserve sur un Sopaliiiin ! *s'écria le gardien avant de prendre la fuite. Madame Burger gravit quatre à quatre les escaliers du château, enfonça la porte de la salle du trône et défia Monsieur Burger.*
– Dites-donc, vous ! *hurla Madame Burger.* J'ai fait une interminable route, traversé des déserts brûlants, pourfendu des bêtes féroces et participé à Top Chef ! J'ai même disposé des tranches d'emmental sur mon pain, puis mis des aiguillettes, les ai recouvertes de tranches de cheddar, de deux moutardes, de lamelles de poivron et encore de tranches de cantal. Tout ça pour vous dire deux mots !
– QUOI ? *tonna Monsieur Burger.* Comment osez-vous ? Je vais vous faire decapiter le bun !… C'est quoi, ces deux mots ?
– Je vous aime… *souffla Madame Burger.*

Pour 2 burgers • 2 buns au curry • 10 aiguillettes de poulet • 1 poivron jaune • 2 œufs • 4 cuillères à soupe de chapelure • 2 tranches d'emmental • 2 tranches de cheddar • 2 tranches de cantal • 2 cuillères de moutarde French's • 2 traits de moutarde Colman's • Beurre

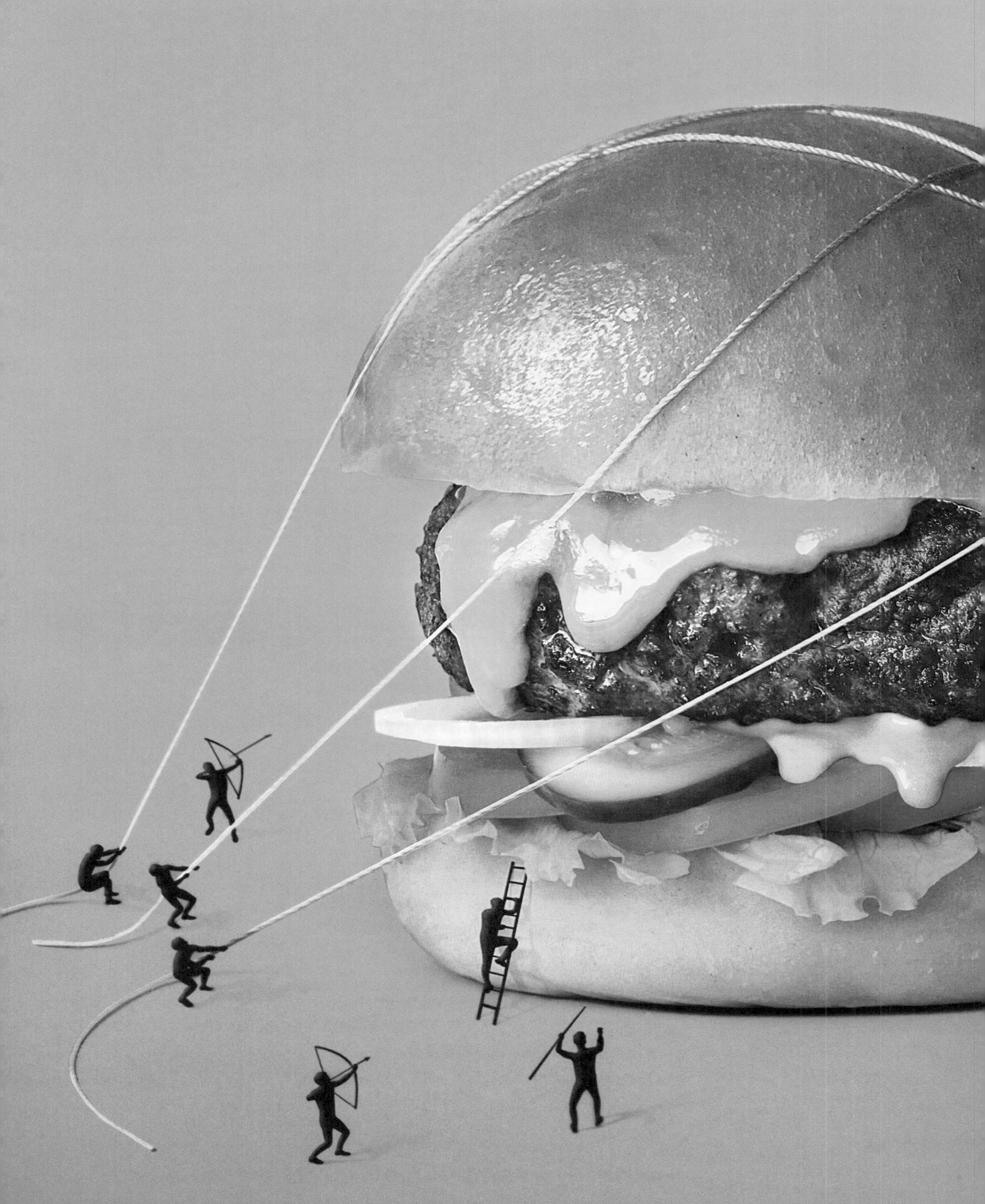

Pour 2 burgers • 2 gros buns viennois snackés au beurre • 2 patties de steak haché de 150 g • 6 tranches de cheddar fermier à gratiner • 2 traits de sauce hamburger • 2 feuilles de romaine ciselées • Quelques tranches de tomate fraîche • Quelques rondelles d'oignon blanc • 8 tranches de cornichon malossol

BIG BURGER

Gulliburger se réveilla ligoté par de minuscules cordes aussi fines qu'un fil à coudre. C'est alors qu'il remarqua de petits hommes pas plus grands qu'un grain de sésame qui lui grignotaient le steak…

Recette du *BIG* du Publicis Drugstore

MIRROR BURGER

– Mirror, Mirror ! Dis-moi qui est le plus beau des burgers.
– En cherchant à la ronde, dans tout le vaste monde, on ne trouve pas plus beau que toi.

A contrario du miroir, ne réfléchis pas trop : découpe d'abord ta tomate en rondelles symétriques. Au lieu de l'admirer, épluche et découpe ta poire en quartiers, puis en lamelles. Il est temps maintenant de hacher le gingembre et l'ail, aïe aïe aïe. Dans un saladier, verse (sans tomber à la renverse) un filet d'huile d'olive, le nuoc-mam, du sel, du poivre, le gingembre et l'ail hachés ainsi que la ciboule ciselée. Repose ton ciboulot et ajoute dans ta marinade les radis en rondelles. Regarde-les miroiter dans leur jus.

Fais chauffer ta poêle sur feu vif. Déposes-y les patties de bœuf, laisse-les cuire 3 minutes face à face. Retourne-les puis couvre-les de bleu d'Auvergne. Plonge tes yeux dans le bleu et attends encore 3 minutes qu'il fonde sous le reflet de ton regard.

Monte le burger à ton image : tartine le bun de confiture d'oignons ; dépose la salade frisée et lisse avec le steak au bleu ; superpose les noix, les lamelles de poire et les rondelles de tomate. Admire ton œuvre avant de terminer par les radis marinés et quelques cuillères de sauce. Rorschach serait fier de toi ! Narcissique que tu es, tu n'as plus qu'à engloutir ton burger et te noyer dans ton suc gastrique !

Pour 2 burgers • 2 buns au paprika • 2 patties de steak haché de 150 g • 1 tomate orange • 1 poire • 4 radis • 5 noix • 120 g de bleu d'Auvergne • 1 cuillère à soupe de confiture d'oignons • Quelques feuilles de salade frisée • 1 gousse d'ail • 1 pousse de ciboule • 5 g de racine de gingembre • 2 cuillères à café de nuoc-mam • Huile d'olive • Sel et poivre

BURGER POUR TOUS

« Art 213 : Les époux(ses) assurent ensemble la concoction orale et digestive de leur repas, et pourvoient à l'élaboration des burgers. »

Épluche tes patates douces et coupe-les en morceaux de Mylène Farmer. Plonge-les dans de l'eau-mo bouillante et salée pendant 10 minutes.

Égoutte et Brodeback-Mountain-moi le tout dans ton mixeur avec 20 cl de crème fraîche, du sel de gayrande, du poivre et le cumin. Et comme pour une PMA bien réussie, ajoute l'huile d'olive.

Chope les morilles déshydratées et trempe-les dans une civi-tasse d'eau chaude pour les faire gonfler. Tranche finement l'échalote et fais-la fondre dans une poêle avec une noix de beurre.

Découpe et fais cuire tes morilles dans une poêle à feux doux. Ajoute le vin blanc bien frigide, la farine, du sel et le persil, puis le reste de crème fraîche. Remue et laisse mijoter en couvrant 4 minutes à feux doux. Prépare tes mini-patties de viande. Fais monter le Mercury de ta poêle et grille les steaks sur la première face pendant 2 minutes. Retourne-les et ajoute les tranches de goudou en couvrant 2 minutes, pour bien les faire fondre.

Par les pouvoirs qui ne te sont pas du tout conférés, déclare unis par les liens sacrés du burger la purée de patatas, les steaks et la sauce homorilles.

pour 10 mini-burgers • 10 mini-buns • 600 g de patates douces • 100 g de beurre • 200 g de morilles séchées • 10 tranches de gouda • 500 g de steak haché • 1 cuillère à soupe d'huile d'olive • 1 pincée de cumin • 1 échalote • 50 cl de crème fraîche • Quelques brins de persil • 1 demi-verre de vin blanc • 1 pincée de farine • Sel de Guérande • Beurre • Sel et poivre

THATCHER BURGER

Un burger de Margaret de canard aux pommes sauce au raifortme, *so British* !

Prépare la sauce. Certains mineurs peuvent trouver la raifortme un peu raide à avaler, mais la crème Chantilly la fera passer. Monte la crème au batteur avec une poigne de fer. N'aie aucune faiblesse, sinon c'est la récession assurée. Ajoute le raifort râpé, le jus de citron pour l'acidité et le Parlement râpé. Et puisque tu es conservateur, conserve.

En faisant tes courses au libre marché, tu auras trouvé des tranches de Margaret de canard. Prévois une dizaine de tranches par burger. Certes, ça fait un tas de chair, mais quand on aime le Margaret, on ne compte pas !

Découpe la pomme grand-mère Smith en une vingtaine de tranches fines à l'aide d'une mandoline (un accessoire qui permet de couper, de trancher, de réduire sans te salir les mains !).

Coupe le bun en deux. Tartine la moitié inférieure de sauce raifort et parmesan. Dispose quelques feuilles d'épinard en hommage à la Dame de fer puis, si tu veux faire ta Malouine, alterne les tranches de magret et les tranches de pomme.

Suggestion d'accompagnement : une grosse choucroute… Mais non, bien sûr ! Personne ne pourrait manger une choucroute avec du magret aux pommes. À part, bien sûr, Mme Thatcher.

Pour 2 burgers • 2 buns au sésame • 20 tranches de magret de canard séché ou fumé • 1 grosse pomme granny smith • Quelques feuilles d'épinard • 1 cuillère à soupe de raifort râpé • 1 cuillère à soupe de jus de citron • 50 g de parmesan râpé • 20 cl de crème fraîche épaisse

BURGER CRYPTÉ

Deux heures du matin. Patricia (90C), une employée de l'hôtel, s'est assoupie sur la table de la cuisine. Sa courte robe de soubrette laisse apercevoir son intimité. Paul (23 cm), un client, entre : – Excusez-moi... Le service de chambre ne répond pas, est-ce que je pourrais avoir deux burgers ?

Patricia se réveille d'un bond à la vue du beau mâle torse nu qui se tient face à elle. – *Tout de suite, monsieur!* Sans plus attendre, elle mélange la purée avec le curry et la morue dessalée. Paul la dévore des yeux. Elle poursuit avec la sauce : huile, vinaigre de framboise, jus de pamplemousse, miel, sel, poivre et coriandre. En se penchant pour attraper un couteau, Patricia offre sa croupe généreuse à la vue de Paul. Il s'approche. Émoustillée, la jeune femme coupe la mangue juteuse en morceaux et l'arrose de jus de citron. Paul tente de briser la glace : – *Je peux vous aider ? – Badigeonnez ces filets de cabillaud de jaune d'œuf et roulez-les dans la chapelure.* Paul opère. Ses mains musclées au contact de la chair ne laissent pas Patricia insensible. Les filets crépitent dans la poêle. Les doigts de Paul se glissent sous sa robe. Alors que la tension est à son comble, la porte de la cuisine s'ouvre. Martine (90F), la petite amie de Paul, s'impatiente : – *Alors, ça vient ?* Étourdie, Patricia tente de masquer son embarras en dressant le burger : sur une miche de pain, salade, gang mangue, poisson, branlade, puis la sauce. En face d'elle, le membre de Paul, dressé lui aussi. Elle rougit. Le couple échange un regard complice alors que Patricia s'attaque à la décoration : œufs de lump et une frambaise. Ils s'avancent vers elle. Martine l'embrasse goulûment pendant que Paul, le gourdin tendu, la plaque contre le plan de travail...

CHHRRRRRRRR... Le reste de ce programme est réservé aux abonnés de la chaîne.

Pour 2 burgers • 2 buns • 2 filets de cabillaud de 100 g • 5 cuillères à soupe de chapelure • 1 œuf • 1 barquette de framboises • 1 mangue • 1 petite boîte d'œufs de lump • Quelques feuilles de laitue iceberg • 1 citron • 200 g de morue dessalée • 200 g de pommes de terre en purée • 1 petite cuillère à café de curry • 20 cl d'huile d'olive • 10 cl de vinaigre de framboise • Le jus de 1 demi-pamplemousse • 10 cl de miel • 1 cuillère à soupe de coriandre fraîche • Sel et poivre

BURGER AVALÉ À MOITIÉ PARDONNÉ

Dominique Strauss-Kahn

BURGER PAPAL

Attention à ce burger qui pourrait provoquer le courroux divin. Car on ne renonce pas impunément à ses devoirs de Burger Pontife.

Avec humilité et abnégation, choisis un oignon blanc comme ta soutane, et découpe-le en rondelles. Fais revenir à feu vif dans une poêle avec de l'huile d'olive. Veille à ce que ces brebis égarées n'accrochent pas. Une fois les oignons transparents comme l'âme d'un nouveau-né fraîchement baptisé, déglace avec le vinaigre balsamique, baisse le feu, ajoute le sucre canonique et laisse mijoter encore 15 minutes.

Lave la coriandre et les enfants de chœur de laitue de leurs péchés, et essore-les. Découpe les feuilles de coriandre et hache la laitue.

Dépose les filets de truite côté peau dans une poêle badigeonnée d'huile d'olive et fais-les cuire à feu aussi doux que l'amour divin. Sale et poivre la chaire. Le poisson enfin cuit, remonte le feu sacré, déglace au jus de citron et fais réduire à feu doux. Il est maintenant temps pour toi de faire retraite.

Avant d'abandonner ton poste sacré, dispose la papauté d'oignons sur le bun du bas, puis la laitue, et les filets de truite. Viennent la coriandre, les œufs de saumon et de lump. Baptise le tout au jus de citron, et coiffe-le de Benoix XVI concassées.

Sous le bun du dessus, tartine du Caprice des dieux. Un éclair divin devrait logiquement venir foudroyer ton burger pour s'opposer à ta retraite anticipée. Il ajoutera un peu de craquant que tu savoureras en le dégustant dans un monastère, à l'abri des regards.

Pour 2 burgers † 2 buns † 1 oignon blanc † 2 filets de truite de 200 g † Quelques cerneaux de noix † 1 demi-citron † 1 demi-botte de coriandre † 3 cuillères à soupe de vinaigre balsamique † Quelques feuilles de cœur de laitue † 100 g de Caprice des dieux † 2 cuillères à café d'œufs de saumon † 2 cuillères à café d'œufs de lump † 1 cuillère à café de sucre † Huile d'olive † Sel et poivre

OVNI BURGER

La planète Burgeria était devenue trop petite pour les Burgerons. Les grands Papadums leur annoncèrent que leur destin était de coloniser la Terre pour en faire leur nouvel Éden. Ils décidèrent donc de construire un vaisseau pour s'y rendre.

Les Burgerons érigèrent d'abord une machinerie complexe pour mixer la betterave avec la crème fraîche, le gingembre et le jus du demi-citron. Puis ils se rendirent jusqu'à la grande poêle sacrée et y firent chauffer de l'huile. Les grands Papadums apparurent dans le ciel rouge et leur clamèrent : *« Prenez-nous, grillez-nous les uns après les autres jusqu'à ce que nous soyons croustillants. Puissions-nous donner de la force à vos tentacules, et vous aider à éradiquer les singes roses qui peuplent notre Terre promise ! »*

Ragaillardis, les Burgerons se réunirent pour émincer le chou en fines lamelles, comme le voulait leur rituel guerrier. Toute la nuit ils aplatirent les filets de poulet, les plongèrent dans le jaune d'œuf et les recouvrirent de chapelure. Au matin ils les firent dorer dans la grande poêle sacrée.

Le vaisseau-bun était maintenant paré au décollage. Ils le recouvrirent d'œufs de tobiko par superstition, puis y déposèrent délicatement les grands Papadums, qu'ils dissimulèrent aux regards impies avec de la salade de wakamé. Les envahisseurs posèrent fièrement les filets de poulet panés, qu'ils coiffèrent du chou traditionnel. Ils baptisèrent le vaisseau à la crème de betterave-citron. Pour finaliser l'édifice, il scellèrent leur préparation intergalactique d'un bun supérieur.

Enfin, ils décollèrent pour la Terre. Selon la prophétie, ils arriveront dans notre galaxie quand les burgers auront des dents.

Pour 2 burgers de l'espace • 2 buns au sésame • 1 betterave cuite • Quelques feuilles de chou violet kalibos • 2 cuillères à soupe d'œufs de poisson volant tobiko au wasabi • 100 g de salade de wakamé • 10 cl de crème fraîche • 2 papadums (galettes de lentilles frites) • 2 filets de poulet • 1 grand verre de chapelure • 1 demi-citron • 1 pincée de gingembre en poudre • 2 jaunes d'œufs • Huile d'olive

BREAKFAST BURGER

Le p'tit dej' des vrais bonshommes !

Pour 2 burgers • 2 filets de poulet panés aux corn flakes pilés • 2 œufs brouillés • 2 traits de sauce au yaourt, miel et moutarde • 4 tranches de bacon • Quelques quartiers d'orange

OCEAN BURGER

Au saumon, mon préféré.

Recette du *Philly*
du Publicis Drugstore

Pour 2 burgers • 2 buns snackés au beurre • 4 tranches de saumon fumé • 2 traits de mayonnaise au curry • 1 tomate • Quelques rondelles d'oignon frais • 2 cuillères à soupe de cream cheese •Quelques feuilles de salade • Quelques tranches de cornichon malossol

MONSIEUR BURGER

Au pays des Burgers, tout le monde vivait paisiblement, jusqu'à l'arrivée d'un étrange individu mal luné, appelé Monsieur Burger.

– D'où viens-tu ? *lui demandèrent les autres Burgers.* Et comment as-tu été cuisiné pour être aussi grincheux ?
– Eh bien, pour commencer, *grogna Monsieur Burger*, je suis fait de poivrons qui ont été coupés en deux et épépinés, passés 15 minutes au four (180° C, thermostat 6), puis rafraîchis sous l'eau froide, pelés et découpés en lamelles et enfin marinés 2 heures dans l'huile d'olive avec de l'ail.
– Des poivrons ? Mais ç'a l'air drôlement relevé ! *s'écrièrent les autres burgers.*
– Fermez vos buns ! Non mais ça va pas de couper les gens comme ça ? Bon... Je contiens un demi-oignon coupé en dés qui sont revenus dans l'huile, avec du piment et de l'ail. Ajoutez à ça des tomates, dont on aura rectifié l'acidité avec un peu de sucre, et vous obtenez une préparation étrange qu'on a laissé mijoter avec un peu de sel, jusqu'à ce qu'elle ait pris un peu de consistance. Ensuite on l'a mixée et mise au frigo pour qu'elle termine de prendre.
– Et la viande dans tout ça ? Tu contiens bien de la viande ? *demanda Burger Curieux.*
– Évidemment, bandes de buns à rien !... Du steak préparé comme un tartare, avec des pickles hachés, du Tabasco, du sel et du poivre, puis divisé en quatre patties (deux par burger), grillés à la poêle sur les deux faces.
– Pourquoi t'es aussi grand ? *demanda Burger Minus.*
– Mais parce que j'ai plusieurs étages, pardi ! Un de poivron, un de steak, un de crème de tomates, encore un de steak, et encore un de poivron !
– T'as un bun appétit, toi ! *commenta Burger Glouton.*

Et tous les Burgers éclatèrent de rire en montrant du doigt Monsieur Burger. Alors il les goba jusqu'au dernier.

Pour 2 burgers • 2 buns au paprika • 4 patties de steak haché de 100 g • 2 cornichons aigres-doux (pickles) • 2 tomates pelées • 1 trait de Tabasco • 1 pincée de piment en poudre • 2 poivrons rouges • 3 cuillères à café de sucre • 2 gousses d'ail • 1 demi-oignon • Sel et poivre • Huile d'olive

BURGER ÉPAIS

Tolstoï

FART & FURIOUS

Ô Prune, votre odeur n'a point quitté mon cabinet. Depuis notre dernière rencontre, pas un matin ne passe sans que je guette votre arrivée. Libérez-moi ! Livrez-moi la recette de votre a-pet-issant burger !

Mon cher Côlon, je m'excuse de n'avoir pu vous rendre visite. J'accompagne mes frères à la chasse pour les fêtes de fin d'année. Ne tournons pas autour du pot plus longtemps, voici ma recette. Dans une cuvette, coulez le lait, le curry et la crème. Ajoutez la gousse d'ail, que vous laisserez flotter 1 heure dans un petit coin au frais.

Coupez le chou rouge en rondins. Lestez-les dans une cocotte et vider l'eau 5 minutes après. Transférez la préparafion dans une casserole (en bronze de préférence), et laissez-y aller la coulée blanche (lait-crème-curry).

Après digestion, poussez un coup au mixeur. Dans un pot, lâchez les pruneaux, la viande et une partie des haricots. Ajoutez poivre et selle. Malaxez bien avant de mouler deux beaux steaks. Lancez le gaz et faites-les griller 3 minutes de chaque côté. Une fois satisfait, larguez le reste des haricots pour les réchauffer.

Vous pouvez maintenant monter les burgers sur le trône de pain. Lâchez les feuilles de salade, les steaks, le cheddar, les fayots, les rondelles d'oignon et, pour finir, éclaboussez le tout de crème. Il ne vous reste plus qu'à savourer ce moment. Un plaisir bien banal mais toujours aussi bon.

Votre Prune.

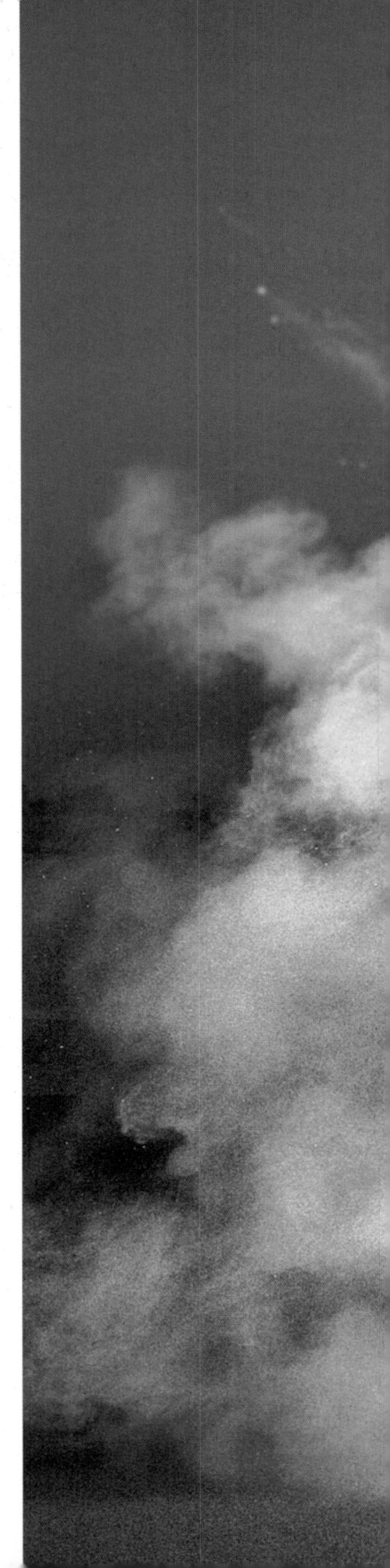

Pour 2 burgers • 2 buns multi-graines • 2 patties de steak haché de 150 g • 10 pruneaux dénoyautés • 1 petite boîte de haricots rouges précuits • 1 quart d'oignon rouge • 2 tranches de cheddar • 3 cuillères à soupe de crème fraîche • 2 feuilles de laitue • 1 demi-chou rouge • 20 cl de lait • 1 gousse d'ail • 1 cuillère à café de curry • Sel et poivre

BOOM BURGER

Visuels créés pour Quick

Fais sauter 300 g de bœuf haché • Fais valser le cheddar • Jette quelques éclats de pickles • Fais péter quelques ronds d'oignon dans la poêle • Explose la tomate • Fais gicler le ketchup et la moutarde • Fais tonner la scarole

HAPPY BIRTHGER

Tu es tellement excité. Il est 19 heures, tout est prêt. Il te reste juste à préparer le burger. Tes potes vont arriver à 20 heures. Youpi, c'est ton anniversaire !

Ça sonne déjà ? Une vague ancienne pote de lycée #quisestfaitelarguermaisquiestvenuequandmême. Tant pis, tu fais la mousse de chèvrœux les plus sincères. Et tel David Guetta, tu mixes le fromage, l'huile de noix et un peu de sel et de poivre. Fouette la crème, fraîche comme ta pote qui chouine, jusqu'à obtenir une chantilly. **Dring ! Mince, 20 heures !** D'une main ouvre la porte, de l'autre, garde la moitié de la chantilly dans un siphon pour décorer tes buns anniversaire. Claque la bise à ce joli monde en ajoutant le reste de la chantilly à la mousse de fromage et mélange délicatement. Réserve au frais en tentant d'empêcher tes potes d'ouvrir le champagne. Trop tard ! **21 heures.** Pendant que tes amis sautent partout sur ton parquet tout neuf, fais sauter les amandes dans une poêle à sec (comme ton gosier) jusqu'à ce qu'elles colorent. **22 heures.** Commence ta sauce vin-chocolat. Fais dorer l'oignon haché dans le beurre pendant que ta pote nympho se met encore à poêle un peu trop tôt. Ajoute le vin, le cube de bouillon et fais réduire 20 minutes à feu moyen. Ajoute le chocolat en fin de cuisson. Filtre la sauce pour réserver les oignons à part (de gâteau). Remets la sauce sur feu doux quelques minutes avec la Maïzena et 1 cuillère d'eau froide. **23 heures.** Le cadeaaaau ! Tu laisses épaissir 1 ou 2 minutes, le temps de l'ouvrir. Une poire, chouette, merci ! Déballe-la et découpes-en la moitié en fines tranches. **Minuit !** Plus de musique. Une bière renversée sur ton ordi. Paaas graaave, y a la platine ! Pendant que tes potes bourrés sortent tes beaux vinyles, fais cuire tes patties de bœuf à la poêle 3 minutes face A et face B. **1 heure.** Décore les buns avec la chantilly de chèvre à l'aide du siphon. Puis saupoudre avec quelques graines de sésame de couleur. **2 heures.** Démonte tout le monde et monte ton burger puis dépose les buns coiffés de quelques bougies. Il est temps de souffler.

Pour 2 burgers-gâteaux • 2 muffins aux céréales complètes • 2 patties de steak haché de 150 g • 1 demi-carré de chocolat noir • 1 demi-oignon rouge • 1 demi-verre de vin rouge • 1 cuillère à café de Maïzena • 1 demi-bouillon cube de volaille • 1 noix de beurre • 1 poignée d'amandes effilées • 1 demi-poire Williams • 100 g de chèvre frais • 2 cuillères à soupe d'huile de noix • 6 cuillères à soupe de crème fraîche épaisse • 1 pincée de graines de sésame de couleur • Sel et poivre

DIVIN BURGER

Jésus se tourna vers la foule et dit : « Prenez, mangez, ceci est mon burger. » Si toi aussi tu veux honorer Dieu, préparons ensemble ce burger au Simon fumé de ce jour.

Lave les brins de Nazaneth de leurs péchés. Hache-les en morceaux. Mélange-les dans un bol avec la crèche fraîche, le Judas de citron et quelques Jozestes. Sanctifie avec du sel et du poivre. Réserve.

Dans un bénitier, mélange l'huile d'olive de la Vierge, le vinaigre Balthazarmique et le sirop d'étable. Fouette le tout vigoureusement avec la moutarde afin d'obtenir une vinaigrette bien homogenèse. Amen du sel et du poivre. Au nom du Père, du Fils et du Saint-Esprit, réserve !

Lave la salade Jésus-crine, fais de fins copeaux de pecorino avec une râpe à Roi mage. Jette quelques Christaux de sel sur les tranches de Simon.

Monte le burger au ciel : commence l'ascension de la salade, annonce la vinaigrette, transfigure le saumon, avant d'ajouter la crème et le pecorino. Je vous salue, Marie pleine de gras !

Pour 2 burgers • 2 buns • 150 g de tranches de saumon fumé • 4 brins d'aneth • 2 cuillères à soupe de crème fraîche • 40 g de pecorino • 2 cuillères à soupe d'huile d'olive • Le jus et quelques zestes d'un quartier de citron • 1 cuillère à café de vinaigre balsamique • Quelques feuilles de sucrine • 2 pincées de sel en cristaux • 1 cuillère à café de sirop d'érable • 1 cuillère à café de moutarde • Sel et poivre

THE END BURGER

Une foule paniquée se répand dans les rues et pille la superette du coin. Les scientifiques viennent de rendre l'info publique : un burger gros comme le Texas va s'écraser sur la Terre et provoquer la fin de toute faim.

Le destructeur fonce vers la Terre. Les trompettes-de-la-mort s'amoncellent et se fendent en deux sous la violence du choc, provoquant une chaleur époustouflante qui les fait roussir dans le beurre et l'ail haché. Sa gigantesque force gravitationnelle attrape des poussières de poivre et de sel. La chaleur revient bientôt à une température plus douce, et les trompettes réduisent dans la crème qui s'est déposée après la traversée de la Voie lactée.

L'amas va maintenant à une vitesse folle. Sur son passage, l'engin de mort percute de gigantesques tranches de poitrine fumée, les faisant voler en éclats, en emportant plusieurs morceaux avec lui. Elles sont vite grillées.

Rien ne l'arrête, et bientôt la météorite transperce une planète de viande hachée aux océans de *liquid smoke*, la réduisant en patties qui se carbonisent à sa surface pendant 3 minutes de chaque côté, avant de traverser un champ d'éclats de scamorza qui les recouvre.

Elle entre avec fracas dans l'atmosphère terrestre. Un bun se forme à sa queue, enduit de crème de trompettes-de-la-mort. Le frottement des particules la compresse, plaquant les patties nappés de scamorza et la poitrine fumée. Un gigantesque bun parsemé de cristaux de sel la recouvre, tel un bélier prêt à enfoncer une porte.

Burgergeddon percute la croûte terrestre avec une violence telle que la planète en frémit. L'onde de choc dévastatrice plonge l'humanité dans un torrent de fromage bouillonnant et de bacon fumant.

**Recette créée avec
Blend Hamburger**

Pour 2 burgers • 2 buns au paprika • 300 g de steak de bœuf • 50 g de trompettes-de-la-mort • 10 g de beurre • 1 gousse d'ail • 33 cl de crème fraîche (35% de matière grasse) • 60 g de scamorza • 60 g de poitrine fumée • Quelques cristaux de sel • 5 cl de fumée liquide (ou *liquid smoke,* sauce au goût fumé pour faire mariner les viandes et les légumes) • Poivre

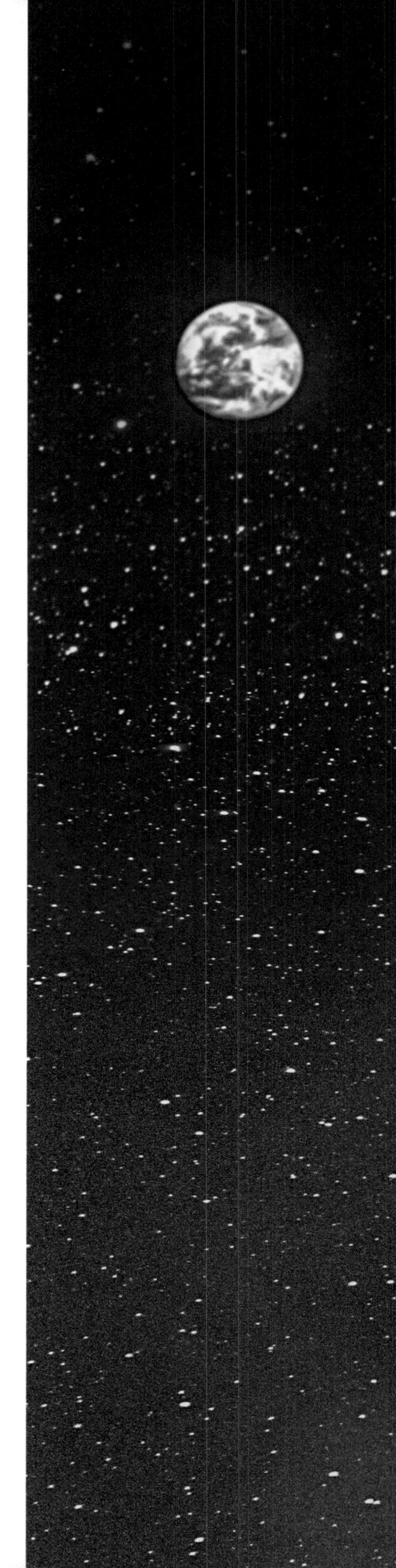

INDEX

BŒUF

PORC

POULET

DINDE

CANARD

FOIE GRAS

AGNEAU

SANGLIER

SAUMON

MERLU

THON

CABILLAUD

HADDOCK

DORADE

CREVETTE

ARAIGNÉE DE MER

CHAMPIGNONS

FROMAGES SPÉCIAUX

ŒUF DE POULE

ŒUFS DE POISSON

ALCOOLS

SUCRÉ-SALÉ

PIMENTÉ

ÉPICÉ

FUMÉ

CROUSTI

VITE FAIT

CUISSON GASTRONOMIQUE

MERCI

(Par ordre de taille et d'âge)

AUX AUTEURS ÉMÉRITES.

Pierre Anfossi,
Agathe Weil,
Manuel le Gourrierec,
Marion Verlé,
Louise Milbach,
Anaïs Bauser,
Jean-Louis Festjens,
Julien Pham.

AUX CHEFS ÉTOILÉS.

Benjamin Garin,
Marion Weil,
Dominique Weil,
Anaïs Bauser,
Pascal Barrière,
la Mercerie Mullot,
Thierry Lemétayer,
Olivier Dupart,
Yann aka Dj Lomo,
MC Fourcade,
et le site doctissimo.fr
pour ses conseils
culinaires.

À CEUX SANS QUI CE PROJET N'AURAIT JAMAIS VU LE JOUR.

Michel Lafon,
Jean-Louis Festjens,
Marie Dreyfuss,
Christian Toanen,
Nikola Savic et toute
l'équipe des éditions
Michel Lafon pour
nous avoir fait confiance.
Reconnaissance
éternelle à Juliette Weisbuch
et à toute l'équipe
de Polymago pour
leur patience et leur
résistance aux effluves
de graillon.

À NOS PARTENAIRES MINCEUR.

Toute l'équipe
de *Fricote Magazine*,
toute l'équipe du
Publicis Drugstore,
l'équipe de Blend
Hamburger Gourmet,
l'équipe d'Analogue
et des restaurants Quick,
Virginie Morillo et toute
l'équipe du Calamar,
Turf Beer et La Super
Superette. Gras-titude
incommensurable
aux frères Robert
(Maîtres Bertrand Robert
et Vincent Robert-Kerneïs)
pour leur contrat
de confiance.
Un pouce en l'air
à Samuel Lemerre
pour le coup de main.
Une fière chandelle
à Benoît Frenette,
Xavier Bazoge
et Marion Verlé pour
le matos gratos.

AUX FANS DE LA PREMIÈRE HEURE.

À tous les followers,
relayeurs, likeurs, linkeurs,
instagrasseurs, facecookers
et tumbeurres. Dette de vie
à nos amis qui nous
ont soutenu, aidé, écouté
et donné (sans reprendre).
Gros bisous à Google image
et Getty du ghetto.

MENTION SPÉCIALE.

À tous ceux qui ont
été volontairement oubliés
et que nous remercions
particulièrement.
Soyez bénis.

Fat & Furious Burger
Thomas Weil
Quentin Weisbuch
fatandfuriousburger.com

Conception graphique
Furious

Direction éditoriale
Marie Dreyfuss

Fabrication
Christian Toanen
Nikola Savic

Photogravure
APEX Graphic - Paris

Crédits photo (pour les fonds)

p. 11
© tarasov_vl/Thinkstock

p. 16
© Encyclopaedia Britannica/UIG/Getty Images

p. 32
DR

p. 38
© Photo 24/Stockbyte/Getty Images

p. 48
© Cavataio Vince/Getty Images
© Twice

p. 78
© Stanislav Pobytov/Getty Images

p. 79
© Buyenlarge/Getty Images

p. 80
DR

p. 86
© Piotr Krześlak/Thinkstock

p. 91
© Achim Prill/Thinkstock

p. 92 et 112
Réinterprétation
de *Monsieur Madame*
de Roger Hargreaves
avec l'aimable
autorisation de
France TV distribution.

p. 100
© Jean Guichard/Gamma-Rapho via Getty Images

p. 103
DR

p. 109
© CreativeGraphicArts/Thinkstock

p. 117
© Ken Hermann/Getty Images

p. 121
© Gilas/Thinkstock

118, avenue Achille-Peretti
CS 70024
92521 Neuilly-sur-Seine Cedex
www.michel-lafon.com

Photogravure : ApexGraphic

Achevé d'imprimer
en Espagne

Dépôt légal : septembre 2014
ISBN 13 : 978-2-7499-2337-6
LAF 1900